01  나라를 빼앗기다

학습 목표
1. 을사조약과 한·일 병합 조약을 알아본다.
2. 을사조약 이후 조선의 상황을 알아본다.
3. 을사조약과 한일 병합 카드 게임을 해 본다.

1 을사조약(을사늑약) (한국사 편지 5권 11쪽 참고)
2 이토 히로부미 (한국사 편지 5권 11쪽 참고)
3 대한제국, 필리핀 (한국사 편지 5권 16쪽 참고)
4 박승환 (한국사 편지 5권 18쪽 참고)
5 조선 총독부 (한국사 편지 5권 21쪽 참고)
6 한·일 병합 조약 (한국사 편지 5권 19쪽 참고)
7 토지 조사 사업 (한국사 편지 5권 20~22쪽 참고)

생각 한 걸음
생각책 012쪽

1 ❶❸

생각 두 걸음
생각책 013~014쪽

[😊👧] 표시는 이 책으로 공부한 어린이들이 실제로 쓴 답안 중에서 적절한 것을 골라 실은 것입니다. 만약 지금 문제를 풀고 있는 어린이가 다소 다른 대답을 하더라도 문항의 핵심을 충분히 이해했다면 어린이의 다양한 생각을 존중해 주세요.

❷ 😊 조선과 만주에서의 주도권을 서로 차지하려고 했기 때문이다.

2 ❶❷

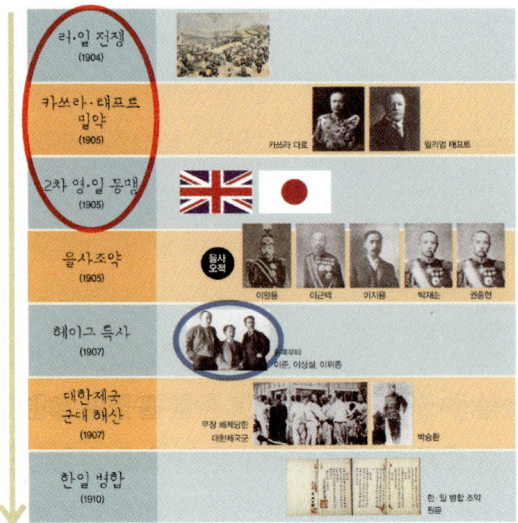

❸ 😊 대한제국의 군대가 없어야 일본이 대한제국을 식민지로 만들기 쉽기 때문이다.

깊이 생각하기
생각책 **015~016**쪽

1 😊 일본이 여러 제국주의 나라들과 조약을 맺어 조선의 지배권을 이미 인정받았기 때문이다.

😊 대한제국은 을사조약으로 외교권을 잃어, 국제 사회에 참석하여 일본의 부당한 행동을 호소하거나 세계 여러 나라와 외교적 관계를 맺기 어려웠기 때문이다.

😊 일본에 외교권을 빼앗기고, 군대가 해산되는 등 나라의 힘이 약해졌기 때문이다.

2 😊 외교권을 빼앗긴 때부터라고 생각한다. 외교권을 빼앗겨 다른 나라와 외교를 할 수 있는 권리가 없어져서 일본이 조선을 부당하게 대해도 다른 나라에 호소할 수 없었기 때문이다.

😊 군대가 해산된 때부터라고 생각한다. 군대가 해산되었기 때문에 일본이 힘으로 조선을 빼앗으려 할 때 맞서 싸울 수가 없었다.

😊 사법권을 박탈당한 때부터라고 생각한다. 왜냐하면 일본의 법을 우리가 써야 한다는 것은 그 나라의 법을 따라야 하는 것이니

이것은 지배받는 것이나 마찬가지이다.

3. 👦 무서운 헌병 경찰의 감시로 사람들은 독립운동을 하거나 자유롭게 행동하기 어려웠고, 일본 입장에 유리한 기사를 주로 보게 되었을 것이다. 또한 자기 땅에서 쫓겨나 소작인이 되거나 소작을 얻지 못해 고향을 떠나는 농민들이 늘어나 살기 어려웠을 것이다.

👧 헌병 경찰들이 사람들을 감시하기 때문에 무서워서 범죄가 줄어들 수 있다. 하지만 너무 무섭게 억압했기 때문에 그에 대한 반발심도 커졌을 것이다. 신문지법으로 나라 안의 소식을 제대로 알리지도 못하고 알 수도 없으므로 세상이 어떻게 돌아가는지 정확히 알 수가 없었을 것이다. 그래서 일본이 자기들 마음대로 조선을 통치하는 데 유리해졌을 것이다. 토지 조사 사업으로 억울하게 땅을 빼앗기는 사람들이 많아졌다. 이렇게 일본이 여러 가지 면에서 조선을 억누르니 조선 사람들 가슴에는 더욱더 독립하고 싶다는 생각을 갖게 되었을 것이다.

생각 펼치기
생각책 017쪽

이 책으로 공부한 어린이들의 실제 답안을 그대로 실었습니다. 어린이들의 다양한 생각과 관심을 파악할 수 있을 것입니다.

국권을 지키고 유지하기 위해 더 필요한 것들: 사법권, 군사력, 지도자, 백성, 경제력

국권을 수호하는 데 가장 중요한 것들

국권을 지키기 위해서는 영토, 영해, 영공이 가장 중요하다. 왜냐하면 군사력, 경제력, 지도자 등 모든 것이 있어 봤자, 가꾸고 지킬 영토, 영해, 영공이 없다면 아무 소용없기 때문이다. 예를 들면 시장에 가서 물건을 잔뜩 샀는데 담을 가방도, 봉투도 없는 것과 같다.

다음으로 중요한 것은 외교력이다. 외교력이 있어야 나라의 힘이 약해졌을 때 다른 나라와 교류를 하며 힘을 키울 수 있다.

아무리 내 나라의 힘이 강해도 주변에 함께할 나라가 없다면 소용없다. 예를 들어 내가 공부를 잘하고 힘이 세다 해도 친구들과 어울리지 못한다면 나는 고립된 것이나 마찬가지기 때문이다.

[일월초5 우진식]

국권을 지키고 유지하기 위해 더 필요한 것들: 군사력, 정치력, 지도자, 국민, 경제력

국권을 수호하는 데 가장 중요한 것들

  국민은 나라를 만드는 가장 기본이다. 국민이 있어야 나라가 돌아가는 것이다. 세금을 걷어 나랏일을 보고, 국민이 군사도 되는 것이고, 국민이 일해야 경제력도 올라간다. 중국은 세계 인구 1위 국가이기 때문에 주변 나라들이 얕잡아 보지 못하고 무서워하는 것이다. 그런데 이 국민들은 애국심도 있어야 한다. 애국심이 강하면 나라를 지켜야 한다는 굳은 의지로 나아갈 수 있지만 애국심이 약하면 을사오적처럼 나라를 팔아먹을 수도 있기 때문이다.

[일월초5 김선우]

나라를 지키려는 몸부림 1907년 02

학습 목표
1. 항일 의병 활동을 알아본다.
2. 애국 계몽 운동을 알아본다.
3. 한글 초성 게임을 해 본다.

생각 한 걸음
생각책 022쪽

1 바른 것을 세우고 사악한 것을 물리친다. (한국사 편지 5권 29쪽 참고)
2 13도 창의군 (한국사 편지 5권 30쪽 참고)
3 최익현, 신돌석 (한국사 편지 5권 33~34쪽 참고)
4 독립 협회 (한국사 편지 5권 37쪽 참고)
5 애국 계몽 운동 (한국사 편지 5권 37쪽 참고)
6 주시경 (한국사 편지 5권 40쪽 참고)
7 국채 보상 운동 (한국사 편지 5권 41쪽 참고)

생각 두 걸음

생각책 **023~025**쪽

[😊 👦] 표시는 이 책으로 공부한 어린이들이 실제로 쓴 답안 중에서 적절한 것을 골라 실은 것입니다. 만약 지금 문제를 풀고 있는 어린이가 다소 다른 대답을 하더라도 문항의 핵심을 충분히 이해했다면 어린이의 다양한 생각을 존중해 주세요.

1 ❶ ❸

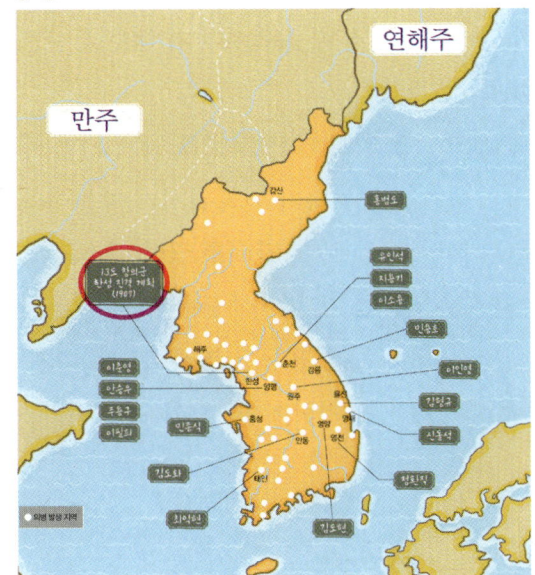

❷ 😊 여러 단체로 나뉘어 있으면 그만큼 힘이 약해지기 때문에 하나로 뭉쳐 강력한 힘으로 저항하기 위해서이다.

2 ❶ 오산 학교: 이승훈 대성 학교: 안창호

❷ 😊 나라를 구하기 위해서는 먼저 실력을 키워야 한다고 생각했기 때문이다. 학교를 세워 인재를 키우면 그 인재들이 자라서 나라를 위해 옳은 일을 할 것이라고 생각했다.

❸ 역사와 언어 교육을 시킨 이유는 우리나라의 역사를 바로 알고 나라와 민족에 관심과 자부심을 갖게 하기 위해서이다. 지리 교육을 시킨 이유는 우리나라와 세계의 지리를 잘 알아 세계를 바라보는 시각을 넓히기 위해서이다. 체육 교육을 시킨 이유는 청소년들이 튼튼하고 건강해야 나라를 지킬 수 있는 힘이 생기기 때문이다.

❹ 👦 나라 안과 밖에서 일어나는 일을 모든 사람들이 알고 있어야 그에 맞는 행동과 생각을 할 수 있기 때문에 애국 계몽 운동가들이 신문을 많이 발행했다.

😊 일본인들이나 서양 강대국들이 우리나라에서 저지르는 나쁜 짓들을 신문을 통해 고발하기 위해서이다.

❺ 😊 일본인들이 저지르는 나쁜 행동들을 널리 알리지 못하게 하

기 위해서이다. 신문을 통해서 일본인들이 우리나라 사람들을 괴롭히는 사건들이 알려지면 일본에 불리해지기 때문에 신문을 강제로 폐간시켰다.

😊 우리나라 사람들이 신문을 읽고 많은 정보를 알게 되면 일본인들이 우리나라를 마음대로 통치하기 어려워지기 때문이다.

3 🐵 김광제와 서상돈은 〈대한매일신보〉에 담배를 끊어 나라의 빚을 갚자는 글을 썼다. 남자들은 담배를 끊고 여자들은 가락지나 패물을 팔아 모금에 동참하였다. 국채 보상 운동은 전국적으로 퍼져 나갔지만, 일제가 운동에 앞장섰던 양기탁에게 횡령죄를 씌워 구속하면서 끝이 났다.

깊이 생각하기
생각책 **026**쪽

1 **항일 의병 활동:**

😊 직접 힘으로 싸워 이겨야 한다. 힘으로 쳐들어온 일본은 힘으로 쫓아내야 한다.

😊 일본을 이 땅에서 몰아내야 나라가 산다. 그러니 행동으로 실천하자.

애국 계몽 운동:

🐵 나라를 구하기 위해서는 실력부터 길러야 한다. 인재가 많아야 나라가 튼튼해지고 일본이 우리나라를 얕보지 못한다.

😊 총이나 칼 같은 무기들을 가지고 나라를 지키면 사람들이 죽거나 다칠 수 있기 때문에 죄를 짓는 것이다. 애국 계몽 운동으로 나라를 지키자.

2 😊 만약 내가 그 시대에 살았다면 의병이 되어 맞설 것이다. 군사 훈련을 받고 의병이 되어 일본을 몰아낼 수 있는 군사 작전을 짜고 전투에 참가할 것이다.

😊 만약 내가 그 시대에 살았다면 공부를 많이 한 후 신문사에 들어가 일본의 나쁜 행동을 고발하는 기자가 될 것이다. 우리나라뿐 아니라 외국에도 기사를 보내 전 세계적으로 일본의 만행을 알릴 것이다.

🧒 만약 내가 그 시대에 살았다면 그냥 조용히 살았을 것이다. 나라를 구하려는 활동을 하다가 일본 헌병에게 잡혀가기라도 한다면 너무 무서울 것 같다.

3 👧 식민지란 다른 나라의 속국이 되는 것이다. 강한 나라에게 주권을 빼앗기고 정치, 경제, 외교 등 모든 분야에서 통치를 받게 된다.

🧒 식민지란 국권을 빼앗기고 다른 나라의 지배를 받는 것이다. 나의 것이 더 이상 나의 것이 아닌 것이다.

생각 펼치기
생각책 027쪽

이 책으로 공부한 어린이들의 실제 답안을 그대로 실었습니다. 어린이들의 다양한 생각과 관심을 파악할 수 있을 것입니다.

자, 여러분 안녕하십니까?

저는 군사장 허위입니다.

우리는 각 지방에서 모인 13도 창의군입니다. 각 지방에서 각자 활동하느라 고생 많았습니다. 이제 함께 힘을 합쳐 저 일본 놈들을 몰아냅시다! 우리는 조선을 위해 한배를 탄 것입니다. 중간에 배에서 내리는 사람이 없도록 합시다. 힘들더라도 서로 도와 가면서 한마음으로 나아갑시다. 뭉치면 살고! 흩어지면 죽는다! 조선을 위해 뭉칩시다!

[일월초5 김선우]

저는 허위입니다.

여러분 일본이 점점 우리나라를 힘들게 하고 있습니다. 여러분도 지금 너무 분할 겁니다. 이것이 우리나라의 현실입니다. 그러나 우리가 일본을 무서워할 필요가 없습니다. 나라를 지키기 위해 이렇게 모여 있을 정도로 우린 용감한데 뭐가 무섭습니까? 그러니 기세 꺾이지 말고 당당하게 일본에게 대항합시다. 우리 중 한 명이라도 빠지면 그만큼 우리의 힘이 줄어드는 것입니다. 빠지는 사람 없이 모두 힘을 모아 일본을 물리칩시다!

[일월초5 강예린]

만주를 뒤흔든 구국의 총소리

1909년

03

학습 목표
1. 안중근의 생애를 알아본다.
2. 안중근 의거의 배경과 결과를 알아본다.
3. '이토 히로부미 저격 사건'에 대한 신문 사설을 써 본다.

생각 한 걸음
생각책 032쪽

1 이토 히로부미 (한국사 편지 5권 46쪽 참고)
2 만주 하얼빈 역 (한국사 편지 5권 47쪽 참고)
3 돈의 학교, 삼흥 학교 (한국사 편지 5권 51쪽 참고)
4 단지 동맹 (한국사 편지 5권 53쪽 참고)
5 《안응칠 역사》 (한국사 편지 5권 54쪽 참고)
6 나철 (한국사 편지 5권 58쪽 참고)
7 《매천야록》 (한국사 편지 5권 60쪽 참고)

생각 두 걸음
생각책 033~035쪽

[😊 👧] 표시는 이 책으로 공부한 어린이들이 실제로 쓴 답안 중에서 적절한 것을 골라 실은 것입니다. 만약 지금 문제를 풀고 있는 어린이가 다소 다른 대답을 하더라도 문항의 핵심을 충분히 이해했다면 어린이의 다양한 생각을 존중해 주세요.

1 ❶ 😊

러시아인 ㉠	몸집도 작고 힘도 약해 보이는데, 나와 싸울 생각을 하다니 기가 막히는군.
미국인 ㉡	난, 큰 몸집의 러시아인보다는 작은 몸집의 일본인이 이겼으면 좋겠는데. 러시아인이 이겨서 우쭐거리는 모습은 보기 싫거든.
청나라인 ㉢	저 경기에서 누가 이기든 나하고는 아무런 상관없어. 난 그냥 구경이나 해야지.
일본인 ㉣	작다고 얕보면 큰코다칠 거야. 난 만만한 상대가 아니라고.

❷ 러시아인은 만주 땅을 딛고 서 있다. 일본인은 한반도와 일본에 한 발씩 딛고 서 있다.

❸ 🧒 러시아가 일본보다 땅도 넓고 힘도 세기 때문에 러시아인을 크게, 일본인을 작게 그렸을 것이다.

❹ 🐵 러·일 전쟁을 백인 대 황인, 서양 대 동양의 싸움이라고 생각했기 때문에 일본을 지지했을 것이다.

2 ❶ 👧

내가 학교를 세운 이유는 실력 있는 인재를 길러 내어 나라를 구하기 위해서이다.

내가 단지 동맹을 맺은 이유는 독립에 대한 의지를 확고히 하기 위해서이다.

내가 《안응칠 역사》와 《동양평화론》을 쓴 이유는 내가 걸어온 길을 정리하고 동양 평화에 대한 내 생각을 다른 사람들에게 알리고 싶었기 때문이다.

❷ 👦

블라디보스토크에서 안중근이 한 일: 블라디보스토크에서 의병 부대를 만들었다.

하얼빈에서 안중근이 한 일: 하얼빈 역에서 이토 히로부미를 총으로 쏘아 죽였다.

하얼빈 역

안중근과 의거를 함께한 동지들
(우덕순, 조도선, 유동하)

뤼순에서 안중근이 한 일: 이토 히로부미를 죽인 이유로 뤼순 감옥에 갇혔고, 뤼순 법원에서 재판을 받았다. 그는 뤼순 감옥에서 자서전 《안응칠 역사》와 미완성인 《동양평화론》을 썼다.

안중근이 수감되었던
뤼순 감옥의 내부

뤼순 법원

깊이 생각하기

생각책 036~037쪽

1

내가 생각하는 이유
- 조선을 모욕한 죄
- 정권을 강제로 빼앗은 죄
- 철도, 광산, 산림을 강제로 빼앗은 죄
- 조선의 토지를 빼앗아서 일본인들에게 싸게 판 죄
- 군대를 해산시킨 죄
- 교육을 방해한 죄
- 조선인이 일본인의 보호를 받고자 한다고 세계에 거짓말을 퍼뜨린 죄
- 많은 독립 운동가를 죽인 죄

2 😀 목숨은 하나밖에 없는데, 나라를 위해 스스로 목숨을 끊는 일은 아무나 할 수 있는 일은 아니라고 생각한다. 나라를 위하는 그들의 마음을 높이 살 만한 것 같다.

👧 나라가 어려울수록 나라를 위해 싸울 인재가 많이 필요하다. 목숨을 끊는 것보다는 나라를 다시 일으켜 세울 방법을 찾았어야 한다고 생각한다.

😀 다른 사람들에게 나라를 위해 싸워야겠다는 의지를 불태우게 해 준 것 같다. 그들이 있었기 때문에 의병, 독립군이 더 많이 조직되고 활동할 수 있었던 것 같다.

👧 무서웠을 텐데 목숨을 끊다니 대단하다고 생각한다. 하지만 그런 방법밖에 없었었나 하는 아쉬움이 든다.

3 😀 여러 나라가 공동체를 만들면 공동체 안에서 무역할 때 유리하기 때문이다. 무역할 때는 관세, 교통 등 고려해야 할 사항들이 많다. 하지만 공동체를 만들면 공동체끼리는 관세가 낮거나 없어지고 교통도 편리하게 되는 등 무역할 때 유리한 점이 많다.

👧 여러 나라가 공동체를 만들면 다른 나라와 무역할 때 유리하기 때문이다. 물건을 만들 때, 공동체에서 재료를 싸게 구할 수 있어서 다른 나라에 비해 물건을 싸게 만들 수 있다. 그래서 공동체를 만들지 않은 나라에 비해 물건을 수출할 때 유리하게 된다.

😀 여러 나라가 공동체를 만들면 힘이 더 강해져서 다른 나라가 공동체에 속한 나라를 함부로 할 수 없기 때문이다. 옛말에 '뭉치면

살고 흩어지면 죽는다.'라는 말이 있다. 나라도 서로 힘을 합치면 힘이 더 강해져서 다른 나라가 함부로 하지 못하게 된다.

생각 펼치기
생각책 038~039쪽

이 책으로 공부한 어린이들의 실제 답안을 그대로 실었습니다. 어린이들의 다양한 생각과 관심을 파악할 수 있을 것입니다.

사설의 제목: 독립의 희망을 품다
나의 주장: 이토 히로부미를 저격한 것은 잘한 일이다.
주장에 대한 근거: 조선 백성들과 세계 사람들에게 조선이 독립할 수 있다는 희망을 주었다.
반대 입장에 대한 반론: 일본인에게는 테러라고 생각할 수 있지만, 안중근은 죄를 지은 사람을 죽인 것이고, 조선인들에게 독립의 희망을 주었다.

사설 쓰기

독립의 희망을 갖다

1909년 10월 26일 9시 30분경 안중근이 하얼빈 역에서 이토 히로부미를 저격했다. 그의 계획은 아주 성공적이었다. 하지만 그는 그 자리에서 잡혀 감옥으로 이송되었다.

안중근은 이토 히로부미를 저격하여 우리 조선 백성들에게 조금이나마 독립할 수 있다는 희망을 주었다. 하지만 일본인들은 안중근을 테러리스트라고 생각한다. 왜냐하면 자신들의 영웅을 죽였다고 생각하고 있기 때문이다. 안중근은 테러리스트가 아니다. 안중근은 마땅히 죽여야 할 사람을 죽인 것이다. 이토 히로부미는 조선에게는 나라를 빼앗아 간 도둑놈이고, 우리 백성을 함부로 죽인 살인자다. 그는 죽어 마땅하다.

안중근은 자신을 희생해서 많은 백성에게 희망을 주었다. 우리는 이 안중근의 뜻을 본받아 우리나라의 독립을 꼭 이루자!

[일월초5 우진식]

사설의 제목: 일본은 안중근의 무죄를 인정하라
나의 주장: 안중근은 무죄다.
주장에 대한 근거: 이토 히로부미가 조선에 저지른 죄가 훨씬 크다.
반대 입장에 대한 반론: 이토 히로부미가 조선에서 벌인 일들을 생각해 봐

라. 그는 나라를 빼앗고, 수많은 백성을 죽인 자이다.

사설 쓰기

일본은 안중근의 무죄를 인정하라!

오늘 하얼빈 역에서 안중근이 이토 히로부미를 죽였다. 안중근이 이토 히로부미를 죽인 것은 당연한 일이다. 안중근은 우리 민족을 대표해 이토 히로부미를 죽인 것이다. 이토 히로부미는 조선을 빼앗으려 하고, 우리 국왕을 마음대로 폐위시켰으며, 조선 백성들도 수없이 죽인 자다. 만약 일본에서 안중근을 재판한다면 일본 법원으로 모두 몰려가서 우리의 의견을 표현해 그가 재판받는 것을 막아야 한다. 만약 일본이 안중근에게 유죄를 선언한다면 우리는 이토 히로부미가 먼저 조선에 한 수많은 잘못들을 토대로 반론해야 할 것이다. 어떤 죄가 더 큰 죄인지 따져 봐야 할 일이다.

일본! 이번 재판에서 꼭 안중근이 무죄란 것을 인정하라!

[송림초5 성동진]

역사와 뛰놀기
생각책 **040**쪽

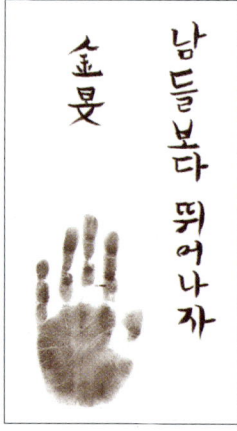

[한내초4 김민]

[한내초4 김서진]

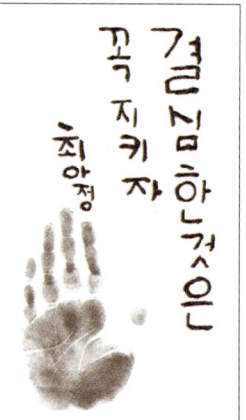

[한내초4 최아정]

04 이천만 동포여, 일어나거라!

1919년

학습 목표
1. 3·1 운동의 과정을 알아본다.
2. 3·1 운동이 끼친 영향을 알아본다.
3. 서대문 형무소 역사관을 답사해 본다.

생각 한 걸음
생각책 044쪽

1 고종의 장례식 때 많은 사람이 모여들기 때문이다. (한국사 편지 5권 65쪽 참고)
2 천도교, 불교, 기독교 (한국사 편지 5권 65쪽 참고)
3 〈독립 선언서〉 (한국사 편지 5권 66쪽 참고)
4 탑골 공원 (한국사 편지 5권 68쪽 참고)
5 2·8 독립 선언 (한국사 편지 5권 71쪽 참고)
6 민족 자결의 원칙 (한국사 편지 5권 72쪽 참고)
7 대한민국 (한국사 편지 5권 77쪽 참고)

생각 두 걸음
생각책 045~047쪽

1 ❷ 최남선
　❸ 😊 정정당당한 모습으로 자신감 있게 행동하기를 바란 것 같다.
　　👧 질서를 잘 지키면서 폭력적인 행동을 하지 않기를 바란 것 같다.
　❹ 👦 일본의 지배 아래서 국내에 남아 있던 조직적 힘이 종교 단체와 학교뿐이었으며, 독립 운동가들 중에는 일본의 탄압을 피해 외국에 나가 있는 사람들이 많았기 때문이다.
2 ❶ ❷

[😊 👧] 표시는 이 책으로 공부한 어린이들이 실제로 쓴 답안 중에서 적절한 것을 골라 실은 것입니다. 만약 지금 문제를 풀고 있는 어린이가 다소 다른 대답을 하더라도 문항의 핵심을 충분히 이해했다면 어린이의 다양한 생각을 존중해 주세요.

❸ 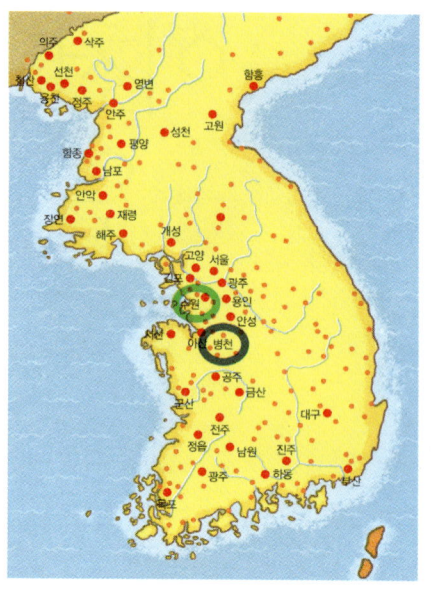 3·1 운동은 전국 방방곡곡에서 일어난 만세 운동이다. 많은 집과 교회가 불탔고, 많은 사람들이 만세 운동에 참여했으며 사망자와 부상자, 잡혀간 사람들이 많았다.

3·1 운동은 한 번에 끝난 만세 운동이 아니었고 전국적인 운동이었다.

❹ 전국에서 많은 사람들이 참여해서 호응도가 높았기 때문에 일 년 동안 이어질 수 있었다.

나라의 독립을 바라는 사람들의 마음이 뜨거웠기 때문이다.

3·1 운동을 주도한 지도자들이 있었기 때문이다.

3 ❶ 남녀노소 구분 없이 많은 사람들이 참여했고 사람들이 많이 모여 있는 거리로 뛰쳐나와서 만세를 불렀다.

줄을 지어 서서 태극기를 흔들며 폭력 없이 만세를 불렀다.

❷ 고국의 현실에 마음 아파하던 해외 동포들이 3·1 운동을 보고 고국의 독립에 힘을 보태려고 했기 때문이다.

❸ 작은 나라에서 큰 규모의 집회가 전국 곳곳에서 일어난 것을 보고 대단하다고 생각했을 것이다.

우리 민족이 독립을 간절히 원하고 있다는 걸 알게 되었을 것이다.

깊이 생각하기
생각책 048쪽

1 헌병 경찰제가 가장 큰 역할을 했을 것이다. 일본은 헌병 경찰제를 도입하여 조선 사람들의 생활을 감시하고 탄압했다. 이러한 일본의 강한 탄압을 견디지 못하고 나라의 독립을 되찾기 위해 3·1 운동을 일으켰을 것이다.

👧 고종의 장례식이 가장 큰 역할을 했을 것이다. 고종이 세상을 떠났다는 소식을 들은 사람들은 고종의 장례식을 보러 서울로 모여들었다. 수많은 인파가 서울로 모이는 이 시기는 3·1 운동을 일으키기에 더없이 좋은 때였을 것이다.

👦 미국의 윌슨 대통령이 주장한 민족 자결의 원칙은 어떤 민족의 장래를 그 민족이 스스로 결정해야 한다는 내용이었는데, 일제의 식민지였던 우리 민족에게 큰 자극이 되었을 것이다.

👧 '무오 독립 선언'과 '2·8 독립 선언'이 가장 큰 역할을 했을 것이다. 멀리 해외에 있는 독립 운동가 39명이 발표한 무오 독립 선언과 일본 유학생들이 발표한 2·8 독립 선언이 국내의 독립 운동가들에게 자극을 주어 3·1 운동을 가능하게 했을 것이다.

2 👦 독립을 이루고 싶다는 마음이 한층 더 강해졌을 것 같다. 3·1 운동을 통해 독립의 필요성을 느끼고, 하루빨리 독립을 이루어야겠다고 생각했을 것이다.

👧 평화적인 만세 운동이 일본인들의 무력 앞에서 힘을 쏠 수 없다고 생각했을 것이다. 평화적인 독립운동보다는 총칼로 맞서는 무력 투쟁이 독립을 위해 더욱 효과적인 일이라고 생각했을 것 같다.

3 👦 3·1 운동은 우리 민족이 일본의 총칼 앞에서도 물러서지 않고 독립을 이루기 위해서 모든 것을 바쳐 노력한 운동이기 때문에 기념할 만하다. 그래서 우리 민족의 정신을 잊지 말자는 의미에서 매년 여러 행사를 하고 기념하는 것 같다.

👧 앞으로 다시는 나라를 잃는 일이 일어나지 않도록 3월 1일을 국경일로 정하고 행사를 하는 것 같다.

유관순 열사님께

유관순 열사님, 안녕하세요?

저는 열사님이 목숨과 바꿔 가면서까지 지키려고 했던 대한민국에 사는 안자연이라고 합니다. 열사님 하면 모두 애국심, 희생정신, 용기를 떠올립니다. 그만큼 오늘날의 사람들 옆에도 유관순 열사님의 굳

생각 펼치기
생각책 **049**쪽

이 책으로 공부한 어린이들의 실제 답안을 그대로 실었습니다. 어린이들의 다양한 생각과 관심을 파악할 수 있을 것입니다.

센 정신이 큰 감동과 존경의 대상이 되고 있습니다. 항상 사람들은 나라를 사랑한다고 하지만 정작 유관순 열사님과 같은 상황에 부닥친다면 목숨을 내놓더라도 나라를 지키는 것을 택하는 사람보다는 고문에 못 이겨 나라를 배신하는 사람들이 더 많을 것입니다. 어린 나이에 보기 힘든 정신력으로 나라를 위해 노력하신 열사님은 많은 사람의 우상이 되고 있습니다. 그 시절 유관순 열사님과 함께 지금의 우리와 나라를 위해 희생하신 모든 분이 지금쯤 다 함께 하늘에서 우리를 보고 계실 거로 생각합니다.

잘 지내시지요? 열사님의 안부를 꼭 묻고 싶습니다. 책으로도 어른들의 입으로도 수없이 보고 들은 열사님의 이야기라 열사님이 저희의 친언니처럼 느껴집니다. 그래서 그냥 고맙다는 둥, 존경스럽다는 둥, 이미 다른 사람들이 많이 했을 이야기보다는 열사님의 안부를 묻고 싶습니다. 굳세고 당차신 열사님이라면 하늘에서도 잘 계실 거라고 믿습니다. 우리는 당신과 당신 동료들의 희생이 헛되지 않게 우리나라를 잘 지켜 내고 사랑하겠습니다. 안녕히 계세요.

안자연 올림

[용남초6 안자연]

유관순 열사님께

유관순 열사님, 유관순 열사님과 많은 독립 운동가들의 노력 덕분에 우리나라는 지금 독립해서 잘 살고 있습니다. 그래서 저희는 독립을 위해 애쓰신 많은 분들을 위해 3·1 운동이 일어났던 3월 1일을 국경일로 정하고, 탑골 공원에 3·1 운동을 기념하는 석판도 크게 만들었어요. 하지만 몇몇 친구들은 삼일절을 그냥 노는 날일 줄 알고 있답니다. 그래서 저는 이 아이들이 유관순 열사님의 애국심과 용기를 알고 본받았으면 좋겠어요.

제가 지금 편하게 사는 건 유관순 열사님 덕분입니다. 감사합니다. 잊지 않을게요.

우진식 올림

[일월초5 우진식]

유관순 언니에게

안녕하세요, 언니. 저는 일산에 사는 5학년 김근아예요. 지금 역사 수업을 받으면서 3·1 운동에 대해서 배웠는데, 언니에게 이렇게 편지까지 쓰게 되었네요.

저는 역사책이나 국어책에서 언니에 대해 배우고 알게 되었어요. 언니에 대한 이야기를 들을 때마다 슬프면서 고마운 생각이 들고, 언니가 있었기 때문에 우리가 지금 여기에 있는 것이 아닌가 싶어요. 만약 제가 다음에 서대문 형무소를 찾아가면 언니가 수감되었던 8호 감방에 찾아가서 묵념할 거예요. 서대문 형무소에 가는 것이 조금 무섭긴 하지만 꾹 참고 가서 독립 운동가분들에게 고맙다고도 할 거예요. 언니가 외쳤던 '대한 독립 만세'라는 말이 아직도 제 머릿속에 남네요. 언니, 서대문 형무소에서 꼭 봬요.

언니가 고마운 근아 올림

[대화초5 김근아]

05 1920년 독립군의 두 별, 홍범도와 김좌진

학습 목표
1. 독립군의 활동을 알아본다.
2. 홍범도와 김좌진을 알아본다.
3. 독립군이 되어 비밀 편지를 써 본다.

1 북로군정서, 대한독립군 (한국사 편지 5권 83쪽 참고)
2 봉오동 전투 (한국사 편지 5권 84~86쪽 참고)

생각 한 걸음
생각책 **054**쪽

3 청산리 전투 (한국사 편지 5권 86~88쪽 참고)

4 간도 학살 사건(경신 참변) (한국사 편지 5권 88쪽 참고)

5 용정 (한국사 편지 5권 89쪽 참고)

6 연해주 강제 이주 (한국사 편지 5권 90쪽 참고)

7 이화림 (한국사 편지 5권 94쪽 참고)

생각 두 걸음
생각책 055~057쪽

[😊🙂] 표시는 이 책으로 공부한 어린이들이 실제로 쓴 답안 중에서 적절한 것을 골라 실은 것입니다. 만약 지금 문제를 풀고 있는 어린이가 다소 다른 대답을 하더라도 문항의 핵심을 충분히 이해했다면 어린이의 다양한 생각을 존중해 주세요.

1 ❶❸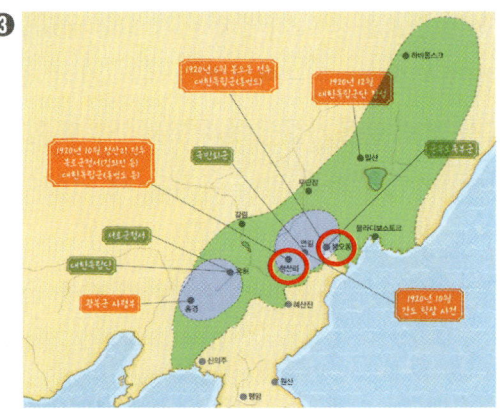

❷ 😊 독립군 부대는 일본의 눈을 피해야 하는데 한 개의 큰 부대로 모여 있으면 눈에 띄기도 쉽고, 한 번 발각되면 한꺼번에 큰 피해를 당하기 때문이다.

🙂 무기나 자금 등 여러 면에서 열악했기 때문에 소규모로 흩어져 있을 수밖에 없었다.

❹ 😊 봉오동과 청산리 전투에서 큰 승리를 이끈 주역이기 때문에 일본은 그들을 잡으려고 혈안이 되었을 것이다. 그래서 일본군을 피해 더 먼 곳인 러시아로 떠났다.

2 ❶ 🙂 봉오동은 등고선이 매우 촘촘하고, 안으로 깊게 들어간 곳이 많은 것으로 보아 가파르고 높은 봉우리와 깊은 계곡이 많은 지형이다.

❷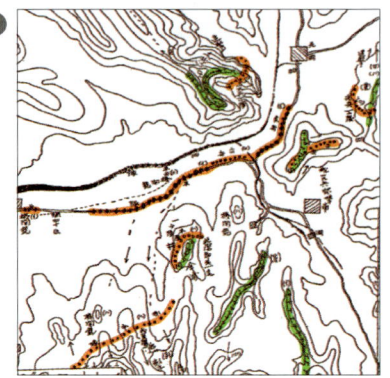

❸ 👦 독립군은 봉우리의 꼭대기에 숨어 일본군을 기다렸다 기습을 했다.

👧 독립군은 높은 곳에서 갑자기 나타나 일본군을 혼란에 빠뜨린 후, 공격하여 싸웠다.

3 ❶

	홍범도	김좌진
소속 부대	대한독립군	북로군정서
활약한 전투	봉오동 전투, 청산리 전투	청산리 전투

❷ 👦 **홍범도**: 일본군이 독립군 토벌 작전을 시작할 것이라는 소식을 들었겠죠? 난 봉오동 전투에서 승리한 경험도 있고, 나의 총구를 피할 일본군은 없을 것이오. 힘을 합쳐서 제2의 봉오동 전투를 청산리에서 만들어 봅시다.

김좌진: 홍 장군이 도와주신다니 천군만마를 얻은 기분이오. 최진동 장군도 돕겠다고 했으니, 청산리에서 독립을 향한 우리의 의지를 일본에 보여 줍시다.

❸ 👧 가난한 집안에서 태어나 머슴을 하던 사람이든, 양반의 집에서 태어난 사람이든 독립을 향한 마음은 같다는 것을 느꼈다. 홍범도와 김좌진 같은 분들이 나라를 위해 목숨을 바쳤기 때문에 지금 우리가 대한민국에서 행복하게 사는 것이라 생각한다. 하지만 홍범도 장군이 고국으로 돌아오지 못하고 먼 카자흐스탄에서 사망한 것과 김좌진 장군이 조선인의 총에 맞아 숨진 것이 너무 아쉽다.

깊이 생각하기
생각책 058쪽

1 👦 여러 개로 나뉘어 있던 독립군들이 함께 힘을 모아 싸웠기 때문이다. 당시 수많은 독립군 단체가 있었지만 여러 가지 이유로 함께 활동하지 못했다. 하지만 청산리 전투에서 힘을 모아 싸웠고 그 결과가 매우 좋았다.

👧 오랜만에 일본군에게 크게 승리한 전투이기 때문이다. 한동안 독립군의 활동이 활발하지 못해서 독립운동이 침체된 분위기였는데 두 전투에서 크게 승리하면서 독립운동에 활기가 찾아왔다.

2 👦 일본군과의 전투에 사용할 무기가 필요했다. 일본군과 비교하면 열악한 환경에 있던 독립군의 무기는 턱없이 부족했다. 일본의 감시를 피해 비밀리에 무기를 구하려면 무척 고생이 심했을 것이다.

👧 독립운동을 이끌어 갈 자금이 필요했다. 학교를 세우자면 건물을 지어야 하고, 학용품과 책상 등도 필요하다. 군대를 조직할 때도 무기와 군복, 식량 등을 살 돈이 필요하다.

👦 독립군 조직을 이끌어 갈 지도자와 그를 따르는 사람이 필요했다. 군대의 규모가 클수록 전투에서 성공할 가능성이 크다. 또 군대를 이끄는 지도자가 훌륭하다면 적은 수의 병사라 하더라도 전략을 잘 짜서 이길 수도 있다. 결국, 독립운동을 할 사람이 필요했을 것이다.

👧 독립군들을 도와주는 마을이 필요했다. 이런 마을은 독립군에게 식량을 대 주고, 쫓길 때 피신도 시켜 주는 등 뒤에서 독립군을 도와주는 든든한 힘이 될 수 있기 때문이다.

3 👦 만주와 연해주의 독립군은 3·1 운동 이후 일본군과 직접 전투를 치르는 무장 투쟁을 활발히 벌였다. 독립군이 거둔 승리는 어렵게 독립운동을 하던 당시 조선 사람들에게 큰 희망과 용기를 주었고, 우리 민족의 독립 의지를 세계 여러 나라에 알리는 기회가 되었다. 하지만 하나로 통일된 군대를 이루지 못하고 여러 부대로 나뉘어 있었기 때문에 지속적인 활동을 하지 못했다.

생각 펼치기
생각책 059쪽

이 책으로 공부한 어린이들의 실제 답안을 그대로 실었습니다. 어린이들의 다양한 생각과 관심을 파악할 수 있을 것입니다.

제목: 남자 못지않은 용기가 있는 남자현

남자현은 일본 지도자를 암살하려는 시도를 하는 등 격렬한 독립운동을 한 사람이기 때문에 소개하고 싶다.

남자현은 경상북도 영양에서 태어났다. 1896년 남편 김영주가 의병으로 일본군에 맞서 싸우다가 죽자 홀로 아이를 키우며 서로군정서에서 활동하며 독립운동에 나섰다. 1925년에는 조선 총독 사이토 마코트를 죽이려고 계획하였으나 성공하지 못했다. 1933년에는 일본 장교 부토 노부요시를 죽이려고 폭탄과 무기를 가지고 있다가 일본군에 체포되어 감옥에 갇혔다. 1962년 건국 훈장 대통령장에 추서되었다.

[일월초5 유서은]

제목: 공군의 어머니, 권기옥

권기옥은 조종사가 되어 조선 총독부를 폭파하는 꿈을 꾸었다. 일제에게 두 번이나 잡혀 감옥에 갔고, 살해 위협을 받고도 조국이 독립이 될 때까지 독립운동을 했다. 해방 후에도 국회 국방위원회 전문 위원으로 활동하며 공군 창설에도 큰 기여를 하였다. 여자가 비행기 조종사가 되기 어려운 상황에서도 꿈을 포기하지 않고 이루어 낸 사람이기 때문에 권기옥을 소개하고 싶다.

[일월초5 우진식]

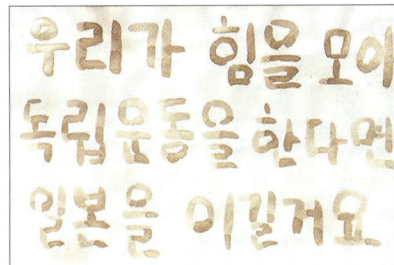

[일월초5 김선우]

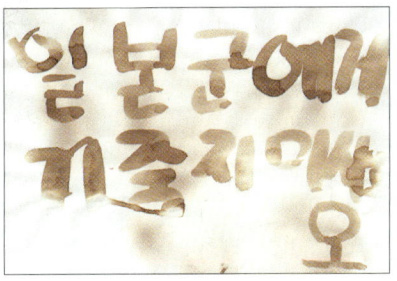

[일월초5 우진식]

역사와 뛰놀기
생각책 060쪽

06   1923년 방정환과 '어린이날'

학습 목표
1. 방정환과 어린이날을 알아본다.
2. 그 당시 어린이들의 생활을 알아본다.
3. 기념일 포스터를 만들어 본다.

생각 한 걸음
생각책 064쪽

1. 색동회 (한국사 편지 5권 99쪽 참고)
2. 5월 1일 (한국사 편지 5권 100쪽 참고)
3. 아동을 한 인격체로 인정해 주어야 한다고 생각했기 때문이다. (한국사 편지 5권 103쪽 참고)
4. 동학의 '인내천' 사상 (한국사 편지 5권 104쪽 참고)
5. 토막민 (한국사 편지 5권 106쪽 참고)
6. 《어린이》 (한국사 편지 5권 107쪽 참고)
7. 김소월 (한국사 편지 5권 110쪽 참고)

생각 두 걸음
생각책 065~067쪽

[😊 👧] 표시는 이 책으로 공부한 어린이들이 실제로 쓴 답안 중에서 적절한 것을 골라 실은 것입니다. 만약 지금 문제를 풀고 있는 어린이가 다소 다른 대답을 하더라도 문항의 핵심을 충분히 이해했다면 어린이의 다양한 생각을 존중해 주세요.

1. ❶ 😊 공부보다는 집안일을 돕거나 돈을 버는 일을 더 많이 했던 것 같다.
   👧 학교에 다니는 아이들은 무서운 순사가 감시하는 학교에서 공부해야 했다.
   ❷❸ 😊 👧
   ㉠ 나는 아직 장가 못 갔는데. ㉡ 선생님은 무서워.
   ㉢ 힘들어도 친구들이 있어. ㉣ 키 안 자라겠네.
   ❹ 😊 배불리 먹을 수 있는 밥이 가장 필요하다.
   👧 일을 안 하고 신나게 놀 수 있는 시간이 가장 필요하다.
   👦 공부를 할 수 있는 학교와 환경, 여유가 가장 필요했을 것이다.

2. ❶ 어린이날 기념행사 안내, 각 지역의 어린이 관련 행사 소개, 수재 아동 소개, 네 컷 만화 등.
   ❷ 오색 선전지 뿌리기, 어린이 선전 깃발 들고 종로 일대 행진하기, 천도교회당에서 성대한 축하 행사, 오색 풍선 날리기 대회
   ❹ 👦 아이고 머리야, 눈앞에 별이 보이네! / 사자 갈기라도 뽑고 죽자!

3. ❶ 😊 일제 강점기 때 어린이들에게 꿈과 희망을 심어 주기 위해서 출판했을 것 같다.
   👧 어린이를 나라의 미래라고 생각했기 때문에 어린이에게 새로운 정보와 지식을 주기 위해서 많은 잡지가 출판되었을 것 같다.

❷ 👦 서양의 이야기들이 신기하고 우리와는 많이 다르다고 느꼈을 것 같다.
　👧 서양의 왕자와 공주가 부러웠을 것 같다.

❸ 👦👧

제목	줄거리
《사랑의 선물》 -〈난파선〉	부모님을 일찍 여읜 마리오는 친한 아저씨를 찾아가기 위해 이탈리아로 가는 배를 탄다. 마리오는 배에서 부모님을 만나러 가는 줄리에타를 만나서 친해진다. 그런데 항해하던 중, 폭풍이 심하게 쳐서 배는 침몰하게 된다. 선장은 마리오에게 마지막 하나 남은 구명보트에 타라고 했지만, 마리오는 부모님이 기다리고 있는 줄리에타에게 구명보트를 양보하고 가라앉는 배와 함께 바닷속으로 사라지고 만다.
《만년샤쓰》	주인공 창남이는 옷 한 벌도 제대로 입지 못할 만큼 어려운 환경에서 살고 있는 학생이다. 체육 시간에 맨몸을 보이게 되지만 만년샤쓰를 입었다고 씩씩하게 말해서 모두를 숙연하게 한다. 자신도 어렵지만 이웃을 생각할 줄 아는 마음을 가진 창남이의 이야기이다.
《바위나리와 아기별》	바닷가에 피어난 바위나리라는 꽃은 애타게 친구를 기다렸다. 어느 날 아기별이 바위나리의 울음소리를 듣고 바위나리를 찾아가 둘은 친구가 된다. 어느 날 바위나리는 병이 들고 아기별은 밤새 바위나리를 간호하다 그만 하늘에 올라가는 시간을 놓쳐 버려서 외출 금지를 당하게 된다. 아기별을 기다리던 바위나리는 바다로 휩쓸리게 되고 아기별은 하늘에서 쫓겨나 지상으로 떨어진다.
《칠칠단의 비밀》	상호와 순자는 남매인데, 누군가에게 납치되어 77단이라는 곡마단에서 곡예를 하며, 학대 속에 살아가고 있었다. 어느 날 친삼촌이 두 사람을 찾아오고, 이들은 탈출을 시도하지만 곡마단에 의해 순자가 납치된다. 그러자 흑두건이 나타나 그들을 돕는다.

깊이 생각하기
생각책 **068~069**쪽

1 👦

이미 알고 있었던 것	어린이날을 만들었고, 《만년샤쓰》, 《칠칠단의 비밀》을 쓴 사람이다.
새롭게 알게 된 것	어린이를 위한 운동을 많이 했고, 어린이 잡지와 동요도 만들었다. 그리고 독립운동을 하다 고문을 당했다.
방정환에 대해 더 알고 싶은 것	언제 세상을 떠났고, 좋아하는 음식은 무엇이었는지 그리고 자신의 작품 중에 가장 마음에 드는 작품은 무엇이었는지 궁금하다.

2 👧 어른들은 어린이에게도 인격이 있다는 것을 깨닫고, 존중해야 할 사람이라고 생각했을 것이다. 어린이들은 자신이 소중한 사람이라는 생각이 들었을 것이다.

👦 어른들은 어린이들을 미래의 희망이라고 생각하게 되었을 것 같고, 어린이들은 자기 자신을 새로운 시대의 주인이라는 생각을 하게 되어 뿌듯했을 것 같다.

3 👧 서양에서 새로운 문물을 받아들이면서, 사람들의 생각도 바뀌었기 때문이다. 예전에는 어린이를 어른의 소유물로 생각하고 존중하지 않았지만, 그러한 대우가 불평등하다는 생각이 들면서 어린이의 인권을 위한 운동이 일어났다.

👦 신분 제도가 폐지되고, 근대화 교육을 받으면서 인간은 모두 평등하다는 생각이 널리 퍼졌다. 그래서 신분 차별 폐지 운동을 벌였다고 생각한다.

👧 한글을 모르는 사람에게 한글을 가르쳐서 민족의식을 기르고, 독립의 의지를 키우기 위해서 문맹 퇴치 운동이 일어난 것 같다.

생각 펼치기
생각책 070~071쪽

이 책으로 공부한 어린이들의 실제 답안을 그대로 실었습니다. 어린이들의 다양한 생각과 관심을 파악할 수 있을 것입니다.

나의 친구들에게
길을 건널 때는 초록색 신호등과 빨간색 신호등을 잘 봅시다.
잠자기 전에 양치는 물론이고 숙제도 꼭 합시다.
길가에서 걸어 다니며 휴대 전화를 보지 맙시다.
위험한 공사장에는 들어가지 말고, 또 가까이 가지도 맙시다.
버스에서는 할머니나 어른들에게 꼭 자리를 양보합시다.
친구 사이에 사귀는 아이들이 있으면 꼭! 비밀을 지켜 줍시다.

[한내초4 김민]

어린 동무들에게
3초 동안 생각해 봅시다. 나의 행동이 어떤지.
학교에 다녀와서 컴퓨터 게임, 텔레비전, 스마트폰 등을 한 시간 이상씩 하는지.

지금부터라도 늦지 않았으니 그 시간에 책 한 권이라도 더 읽도록 합시다.

친구들끼리 서로 싸우거나 한 명을 따돌리는 행동을 하지 맙시다.

서로 위해 주고 배려하면서 화목한 세상을 만듭시다.

거리에 쓰레기를 함부로 버리지 맙시다.

내가 쓰레기를 버리면 거리가 더러워지고, 지구가 더러워집니다.

쓰레기를 버리는 나의 손을 부끄럽게 여깁시다.

하루에 잠깐씩이라도 내 자신의 모습을 생각해 봅시다.

[대화초4 김근아]

역사와 뛰놀기
생각책 **072**쪽

[황룡초6 최서영]

07 | 1923년 관동 대학살과 연해주 강제 이주

학습 목표
1. 관동 대학살과 연해주 강제 이주를 알아본다.
2. 일제 강점기에 해외로 이주한 동포들의 삶을 알아본다.
3. 한민족을 상징하는 축제의 부채를 만들어 본다.

생각 한 걸음
생각책 076쪽

1. 관동 대지진 또는 관동 대진재 (한국사 편지 5권 115쪽 참고)
2. 자경단 (한국사 편지 5권 116쪽 참고)
3. 소련 (한국사 편지 5권 119쪽 참고)
4. 중앙아시아의 카자흐스탄, 우즈베키스탄 (한국사 편지 5권 121쪽 참고)
5. 사할린 (한국사 편지 5권 124쪽 참고)
6. 까레이스끼(고려인) (한국사 편지 5권 125쪽 참고)
7. 사진 결혼 (한국사 편지 5권 126쪽 참고)

생각 두 걸음
생각책 077~079쪽

[😊 👧] 표시는 이 책으로 공부한 어린이들이 실제로 쓴 답안 중에서 적절한 것을 골라 실은 것입니다. 만약 지금 문제를 풀고 있는 어린이가 다소 다른 대답을 하더라도 문항의 핵심을 충분히 이해했다면 어린이의 다양한 생각을 존중해 주세요.

1 ❶

관동 대지진 직후의 도쿄의 아사쿠사
- 수많은 사람이 죽고 그 많던 건물이 다 무너져 버렸어. 지진은 너무 무서워.
- 아니, 우리 같은 잘사는 나라가 이렇게 되다니! 이제 조선을 뭐라고 할 처지가 아니군.

지진 지역을 순찰하는 일본 황태자
- 지진 때문에 민심이 나빠지고, 사회가 무질서해졌소. 어떻게 하면 좋을지 방법을 이야기해 보시오.
- 흠. 괜찮아! 복구할 수 있어. 하지만 국민들이 뭐라고 하고, 비용이 어마어마하겠군. 골칫덩어리야.

❷ 😊 관동 대지진 후 큰 피해를 당한 일본 사람들은 두려움에 휩싸여 있었다. 그러던 중 일본 정부에서 퍼뜨린, 조선인들이 불을 지르고 우물에 독을 탔다는 소문을 듣고 자신들을 지키려고 자경단을 만들고 조선인들을 죽였다.

 관동 대지진으로 많은 사람들이 죽고 다치고 매우 혼란스러운 상황이 되자 일본인들은 사회를 안정시키지 못하는 일본 정치인들에 대한 불만이 높아졌다. 일본 정치인들은 자신들을 원망하는 일본인들의 불만을 조선인들에게 돌리기 위해 거짓 소문을 내고, 자신들의 자리를 지키려고 했다.

2 ❶

❷ 😀 굉장히 다양한 곳으로 이주했다.
👧 아메리카 대륙으로의 이동은 농업 이민이 많았다.
👦 일본으로 제일 많은 사람들이 이주했고, 다음은 간도와 만주 지방으로 많이 이주했다.
👩 연해주에 살고 있던 사람들 대부분이 1937년 중앙아시아로 이주되었다.

❸ 😀 가족과 헤어져야 했기 때문에 슬펐을 것이다.
👧 이주하는 곳까지 먼 길을 이동해야 해서 힘들었을 것이다.
👦 언어와 음식이 낯설어서 힘들었을 것이다.

3 ❶ 👧 소련이 일본이나 중국과 전쟁을 하게 될 때 조선 사람들이 간첩 노릇을 할 가능성이 있다고 생각했기 때문이다.
😀 중앙아시아의 황무지 같은 땅을 개척하기 위해 사람들이 필요했기 때문에 강제로 이주시켰을 것이다.

❷ 👩 연해주로 건너와 힘들게 마련한 토지와 재산을 두고 가야 한다는 생각에 마음이 아팠을 것이다.
👦 어떤 곳으로 끌려가는지도 모른 채 끌려갔기 때문에 매우 두려웠을 것이다.

❸ 😀 처음에는 막막했을 것이다. 하지만 조선 사람들은 부지런하고 성실한 성격을 갖고 있기 때문에 열심히 일해서 땅을 일궈 농사를 짓고 잘 살았을 것이다.
😀 처음에는 허허벌판에서 아무것도 없이 토굴을 파고 살았다. 하지만 부지런함과 뛰어난 농사 기술로 집단 농장의 생산량을 높여 그 능력을 인정받았을 것이다.
👧 새로운 환경에 적응하지 못해 힘들었을 것이다. 또 그곳에 원래 살고 있던 사람들이 조선인들을 차별해서 더 힘들었을지 모른다.

깊이 생각하기
생각책 080~081쪽

1 😀 정권을 유지하기 위해 죄 없는 조선 사람들과 정부에 비판적인 일본 사람들을 죽인 행동은 옳지 않다. 일본 정부는 당시 사회 불

안을 빠르게 안정시키기 위해 비상 계엄령을 선포하려 했고, 그 구실로 조선인에 대한 헛소문을 퍼뜨렸다. 그 과정에서 수많은 조선 사람이 희생되었다. 일본 정부가 사회를 빠르게 안정시키려고만 하고, 사람의 생명을 가볍게 여긴 것은 비판받아야 한다.

2. 😊 조선 사람들이 부당한 대우를 받았을 때 보호해 줄 나라가 없었기 때문이다.

👦 다른 나라들이 조선은 힘이 약하다고 느껴, 조선 사람들을 어떻게 해도 상관없다고 생각했기 때문이다.

3. 👧 같은 민족이라고 생각한다. 왜냐하면 해외에 살고 있더라도 자신들을 한민족이라고 생각하며, 민족의 언어와 문화를 잊지 않으려고 노력하고 있기 때문이다.

👦 같은 민족이 아니라고 생각한다. 왜냐하면 오랫동안 외국에서 살며 그곳의 문화와 언어에 익숙해져 우리 민족의 전통을 잊었기 때문이다.

생각 펼치기
생각책 082~083쪽

이 책으로 공부한 어린이들의 실제 답안을 그대로 실었습니다. 어린이들의 다양한 생각과 관심을 파악할 수 있을 것입니다.

탄 원 서	
사건	관동 대지진으로 일어난 관동 대학살
수신인	미국인들
탄원인	조선 어린이 성동진
제목	Help me!

안녕하십니까.
저는 일본 관동 지역에서 사는 조선 학생 성동진이라고 합니다.
지금 관동 지역은 대지진이 일어나 큰 피해를 입었습니다. 그런데 혼란한 틈을 타서 일본 정부가 조선인들이 일본인들을 죽인다고 거짓 소문을 내고 있습니다. 그래서 일본인들이 관동 지역에 사는 조선인들을 모두 죽이려고 하고 있고, 제 목숨 또한 위험한 상황입니다. 바로 대학살이 일어나기 직전입니다.
일본인들은 지금 제정신이 아니고 길에서 만나는 조선인들을 무참히 죽이며 미쳐 날뛰고 있습니다. 저도 언제 죽을지 모릅니다. 조선인들은 조선인들을 보호해 줄 나라도 없습니다. 일본이 우리나라를 강제로 빼앗아 갔기 때문입니다.
우리 조선인들을 당신들이 도와주면 좋겠습니다. 당신들은 힘이 세다고 들었습니다. 시간이 없습니다. 점점 조선인들이 죽어 가고 있습니다.
부탁입니다. 제발 도와주세요.

[송림초5 성동진]

탄 원 서	
사건	관동 대지진으로 일어난 관동 대학살
수신인	김구 선생
탄원인	관동에 살고 있는 조선 어린이 공윤배
제목	도와주세요!

안녕하세요. 저는 일본 관동에 살고 있는 공윤배라고 합니다.
관동 지역에 큰 지진이 일어난 건 알고 계시죠? 그런데 지금 지진보다 더 무서운 일이 일어나고 있습니다. 일본인들이 우리 조선 사람들을 마구 학살하고 있어요. 무섭습니다.
일본인들은 관동 대지진이 일어난 것도 조선인들 탓이라고 하고, 지진 후의 혼란을 틈타서 조선 사람들이 일본을 공격할 거라는 헛소문을 퍼트리고 있습니다. 말도 안 됩니다. 조선인들도 지진으로 많이 죽고 다치고 큰 피해를 입었는데…. 그런데도 이런 말도 안 되는 얘기를 믿고 일본인들이 조선인들을 다 죽이려고 하고 있습니다.
김구 선생님! 우리 관동에 사는 조선인들을 살려 주세요. 김구 선생님은 조선의 독립과 조선 백성들을 위해 일하시는 분이라고 알고 있습니다. 관동에 사는 조선 백성들을 살려 주세요!
우리가 조선 땅에서 떨어져 있어도 우리는 같은 민족, 같은 백성입니다. 이 탄원서를 보시고 빨리 임시 정부와 독립군들을 움직여 우리를 구하러 와 주세요.

[일월초5 공윤배]

역사와 뛰놀기
생각책 084쪽

축제 이름: 한민족 한마음 축제

[일월초5 우진식]

축제 이름: H F&F(H-한민족 F-fly F-페스티벌)

[일월초5 김병철]

근대 역사학의 아버지 신채호

1931년

08

학습 목표
1. 신채호의 삶과 업적을 알아본다.
2. 식민 사학과 민족주의 사학을 알아본다.
3. 나만의 역사책을 만들어 본다.

생각 한 걸음
생각책 088쪽

1 《조선상고사》 (한국사 편지 5권 130~131쪽 참고)
2 일본이 조선을 식민지로 지배하는 것을 돕기 위한 역사학 (한국사 편지 5권 132쪽 참고)
3 민족주의 역사학 (한국사 편지 5권 133쪽 참고)
4 '아'는 조선 민족, '비아'는 다른 민족 (한국사 편지 5권 133쪽 참고)
5 《동사강목》 (한국사 편지 5권 136쪽 참고)
6 〈조선혁명선언〉 (한국사 편지 5권 138쪽 참고)
7 박은식 (한국사 편지 5권 142~143쪽 참고)

생각 두 걸음
생각책 089~091쪽

[😊 😊] 표시는 이 책으로 공부한 어린이들이 실제로 쓴 답안 중에서 적절한 것을 골라 실은 것입니다. 만약 지금 문제를 풀고 있는 어린이가 다소 다른 대답을 하더라도 문항의 핵심을 충분히 이해했다면 어린이의 다양한 생각을 존중해 주세요.

1 ❶ 😊

2 ❶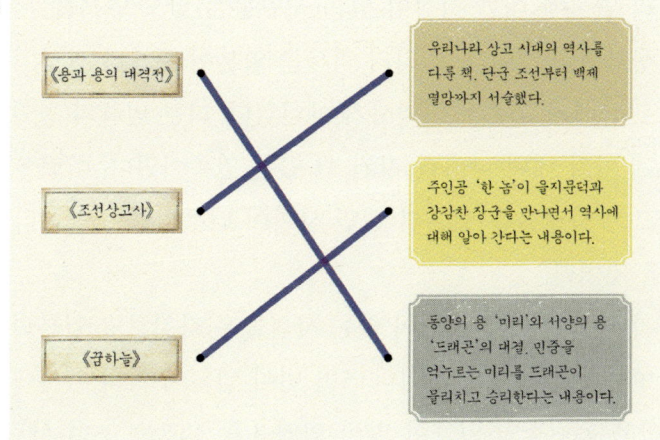

❷ 😊 우리 역사에 훌륭한 영웅들이 많이 있었다는 것을 알려 민족의 자부심을 높이기 위해서이다.

👦 영웅들의 이야기는 흥미진진하기 때문이다.

❸ 👧《꿈하늘》을 읽어 보고 싶다. 고구려의 을지문덕도 나오고 고려의 강감찬도 나오고 일제 강점기의 이완용도 나오는 등 시대를 초월한 영웅과 악당이 나오는 이야기가 재미있을 것 같다.

3 ❶ 👨 박은식: 나라가 망했어도 나라의 혼이 살아 있으면 망한 것이 아니다. 나라의 혼을 보존하려면 나라의 역사를 보존해야 한다.

신채호: 김춘추는 삼국 통일의 영웅이 아니라 외세를 끌어들인 장본인이다. 조선의 역사는 조선과 다른 민족의 투쟁의 역사이다.

❷ 😊 일제 강점기의 민족 역사학자, 독립 운동가. 역사를 올바르게 연구하는 것이 독립운동이라고 생각했다. 상하이 임시 정부를 세우는 일에 참여했다가 이승만이 국무총리가 되는 것을 반대하며 임시 정부를 떠났다. '무정부주의 동방 연맹 북경 회의'라는 단체를 만들어 활동하다가 일본 경찰에 붙잡혀 뤼순 감옥에 갇혔다. 그리고 뤼순 감옥에서 사망했다.《조선사연구초》,《조선상고사》,《조선상고문화사》등의 역사책과《꿈하늘》,《용과 용의 대격전》,《일목대왕의 철퇴》등의 소설을 남겼다.

❸ 👧 우리 역사에 대한 자부심과 애국심

😊 우리 역사에 대해 바르게 아는 것

👦 우리의 오랜 역사와 자주정신

깊이 생각하기

생각책 **092**쪽

1. 😀 우리 역사에 대한 지식이 있는 사람들은 말도 안 되는 주장이라고 생각했을 것이다. 우리의 역사는 일본이 주장하는 것처럼 힘도 없고 남에게 의존하는 역사가 아니었다. 다른 민족의 침입도 여러 차례 이겨 내며 나라를 지킨 힘 있는 민족이었다. 이런 사실을 아는 조선 사람들은 일본의 식민 사학이 터무니없는 억지라고 생각했을 것이다.

   👧 우리 역사에 대한 지식이 없는 사람들은 좌절하고 일본의 지배를 당연하게 생각했을 것이다. 5천 년이 넘는 우리의 역사에서 자주적이고 독립적인 일들이 많이 있었음을 모르는 조선 사람들은 일본의 식민 사학이 진짜인 줄 알고 조선을 한심하게 생각하고 일본인들의 생각에 따라 행동했을 것이다.

2. 😀 일본의 식민 사학에 맞서 민족주의 역사학을 발전시킨 사람이며, 이전과는 전혀 다른 관점과 내용으로 우리나라 고대사를 연구하여 우리 역사의 새로운 장을 열었기 때문에 신채호를 우리나라 근대 역사학의 아버지라고 부르는 것이다.

   👦 서양의 새로운 이론을 받아들여서 이전과는 전혀 다른 방식으로 역사를 바라보고 설명했기 때문에 우리나라 근대 역사학의 아버지라고 부른다.

3. 😀 역사는 현재를 알 수 있는 열쇠이다.
   왜냐하면 현재의 모습은 과거의 모습들이 하나하나 쌓여서 만들어지는 것이므로 현재의 모습을 더 잘 알아보기 위해서는 과거를 알아야 하기 때문이다.

   👧 역사는 조각 맞추기이다.
   왜냐하면 역사는 과거의 기록과 유물 등 몇 가지 자료로 전체의 모습을 찾아가는 것이기 때문이다.

   👦 역사는 자존심이다.
   왜냐하면 역사가 오래되고 우수하면 그렇지 못한 나라에 비해 자존심이 강해질 수 있기 때문이다.

생각 펼치기
생각책 093쪽

이 책으로 공부한 어린이들의 실제 답안을 그대로 실었습니다. 어린이들의 다양한 생각과 관심을 파악할 수 있을 것입니다.

고조선	**단군 신화** 옛날 환인의 아들 환웅이 인간 세상을 다스리기 위해 바람, 비, 구름을 다스리는 신하를 데리고 땅으로 내려왔다. 어느 날 호랑이와 곰이 와서 인간이 되고 싶다고 했다. 쑥과 마늘을 먹고 견딘 곰은 인간이 되어 환웅과 결혼하고 아들을 낳았다. 그 아들이 고조선을 세운 단군왕검이다.	
고구려	**광개토 대왕** 광개토 대왕은 고구려의 19번째 왕으로 북진 정책으로 고구려를 북쪽으로 넓혔다. 수나라, 말갈, 부여 등과 싸워 크게 이겨서 고구려를 강력한 나라로 만들었다.	
백제	**나제 동맹** 백제와 신라는 고구려의 침략에 대비하기 위해 나제 동맹을 맺었다. 그런데 신라가 배신하고 백제에 쳐들어왔다. 백제는 신라에게 한강을 빼앗겼다.	
신라	**한반도 통일** 신라는 668년 고구려를 멸망시키고, 676년에 당나라 군대를 몰아내고 중남부를 통일했다. 김춘추의 외교적 노력으로 신라는 당나라 군대의 도움을 받을 수 있었고, 김유신은 화랑들과 함께 싸워 통일에 도움을 주었다.	
발해	**발해 5도** 발해는 5개의 큰 길이 있었다. 일본으로 가는 길, 거란으로 가는 길, 중국으로 가는 길 등의 큰 길을 통해 활발한 무역을 했다.	
고려	**무신 정권** 고려 시대 때 문신들이 무신들을 차별했다. 그래서 화가 난 무신들은 무신 정권을 세우고 왕을 허수아비로 만들었다. 그리고 100년 동안 무신 정권을 유지하다가 왕이 몽골의 도움으로 왕정복고를 하여 무신 정권이 끝났다.	
조선	**세종 대왕** 세종 대왕은 우리나라의 글자인 한글을 만든 왕이다. 세종 대왕은 백성들을 위한 마음이 커서 어려운 한자 대신 쉬운 한글을 배울 수 있도록 했다. 물론 양반들은 반대했지만 세종 대왕은 이를 극복하고 한글을 만들었다.	

[일월초5 강현수]

역사와 뛰놀기
생각책 094쪽

[일월초5 강현수]

임시 정부의 밑거름이 된 이봉창과 윤봉길

1932년

09

학습 목표
1. 이봉창과 윤봉길 의거를 알아본다.
2. 임시 정부의 활동을 알아본다.
3. 광복군 배지를 만들어 본다.

생각 한 걸음
생각책 098쪽

1 이봉창 (한국사 편지 5권 146~147쪽 참고)
2 상하이 훙커우 의거 (한국사 편지 5권 150~152쪽 참고)
3 백정기 (한국사 편지 5권 151쪽 참고)
4 한인애국단 (한국사 편지 5권 152쪽 참고)
5 김구 (한국사 편지 5권 155쪽, 158쪽 참고)
6 효창 공원 (한국사 편지 5권 156쪽 참고)
7 광복군 OSS (한국사 편지 5권 158쪽 참고)

생각 두 걸음
생각책 099~101쪽

[😊 😊] 표시는 이 책으로 공부한 어린이들이 실제로 쓴 답안 중에서 적절한 것을 골라 실은 것입니다. 만약 지금 문제를 풀고 있는 어린이가 다소 다른 대답을 하더라도 문항의 핵심을 충분히 이해했다면 어린이의 다양한 생각을 존중해 주세요.

1 ❶

❷ 😊 일본이 임시 정부를 탄압하였기 때문에 임시 정부는 계속해서 근거지를 옮겨야 했다.

❸ 🧑 조선은 왕이 나라를 다스리고, 대한민국은 국민들이 투표해서 뽑은 대표가 나라를 이끈다.
👦 대한민국은 조선보다 국민들이 평등하고 자유롭게 살 수 있는 나라이다.

❹ 👧 광복이 되자마자 조국으로 돌아갔어야 했는데, 몇 달이 지난 지금 조국으로 돌아간다는 사실에 너무 늦었다고 생각했을 것 같다.
🧒 조국으로 돌아가서 해야 할 일들을 생각해 보고 있었을 것 같다.

2 ❶ 김구

❷ 🧑 나라를 사랑하는 마음과 독립을 위해 목숨을 바칠 준비가 되어 있는지 확인하기 위해 이력서를 쓰게 했을 것이다. 태극기 앞에서 사진을 찍으면서 한인애국단의 단원으로서 독립운동에 대한 의지를 다졌을 것 같다.

❹ 👦 내 목숨은 아깝지 않다. 기필코 거사를 성공해서 조선의 독립을 한 발짝 앞당기겠다.

❺ 👧 비밀 결사 조직이었으므로 다른 사람들이 알 수 없게 단서가 될 수 있는 명단을 남겨 놓지 않았을 것 같다.

3 ❶ ㉠윤봉길 ㉡이봉창

❷ 🧒 의거가 성공하면 독립을 앞당기는 데 도움이 될 거라고 생각했기 때문에 의거를 일으켰을 것이다.
🧑 의거가 성공하면 힘들게 살아가는 우리 민족에게 독립에 대한 희망을 심어 줄 수 있고, 다른 나라 사람들에게는 우리 민족의 힘을 보여 줄 수 있기 때문에 의거를 일으켰을 것이다.

❸ 👦 의거 후, 일본인들에게 끌려가는 윤봉길과 이봉창을 보니 마음이 아프다.
👧 의거가 신문에 날 정도로 대단한 사건이었던 것 같다.

깊이 생각하기

1 🧒 나는 김구의 생각에 찬성한다. 우리 민족의 독립에 관해 관심

생각책 102쪽

이 없던 사람도 이런 모습을 보게 되면서 독립에 관해 관심을 갖게 될 것이다. 그렇게 되면 조선이 독립하는 데 많은 사람이 참여하게 되고 조선의 독립을 앞당길 수 있을 것이다.

🙍‍♀️ 나는 김구의 생각에 반대한다. 저런 행동을 실행에 옮길 정도의 사람이라면 나라를 사랑하는 마음이 매우 클 것이다. 그런 인재가 죽는다는 것은 말도 안 되는 일이다. 다른 방법으로 독립운동을 하는 것이 낫다고 생각한다.

2 🙍 임시 정부의 활동 중 헌법 제정을 가장 높이 평가하고 싶다. 헌법은 국가의 조직, 국가를 다스리는 원리, 국민의 기본권 등이 담겨 있는 국가를 다스리는 데 없어서는 안 될 중요한 사항이기 때문이다.

🙍‍♀️ 임시 정부의 활동 중 연통제를 시행하고 교통국을 설치한 것을 가장 높이 평가한다. 정보를 수집하고 그 정보를 연락하는 연락원이 없었다면 임시 정부는 독립운동을 계속해 나가기 힘들었을 것이다.

🙍 임시 정부의 활동 중 이륭양행(만주), 백산상회(부산)를 개설한 것을 가장 높이 평가한다. 임시 정부는 무기 확보, 인재 양성 등 해야 할 일이 많은데, 경제적인 뒷받침이 없이는 불가능하기 때문이다.

🙍‍♀️ 임시 정부의 활동 중 〈독립신문〉 발간을 가장 높이 평가한다. 〈독립신문〉을 발간하지 않았다면 국내외의 많은 사람이 조선의 식민 통치 실상을 자세히 알지 못했을 것이고 독립운동도 활발하게 일어나기 힘들었을 것이기 때문이다.

🙍 임시 정부의 활동 중 애국 공채를 발행한 것을 가장 높이 평가한다. 애국 공채 발행으로 독립운동 자금을 확보해서 독립운동을 하는 데 많은 도움을 주었기 때문이다.

🙍‍♀️ 한인애국단 활동을 가장 높이 평가한다. 한인애국단 활동으로 많은 조선 사람이 독립운동에 관심을 갖게 되었고 다른 나라 사람들에게 우리 민족의 독립에 대한 의지를 보여 줄 수 있었기 때문이다.

🙍 임시 정부의 활동 중 광복군 결성을 가장 높이 평가한다. 독립을 위해 싸우기 위해서는 광복군과 같은 군대는 꼭 필요하다. 싸

울 군인과 군대도 없이 제대로 된 독립을 할 수는 없기 때문이다.
3 🧑 국민의 힘으로 독립하면 국민들이 나라를 잘 이끌어 갈 수 있을 것이다. 왜냐하면 그 나라의 상황에 맞는 여러 가지 제도를 만들어 자주적으로 나라를 운영할 수 있기 때문이다.
👦 식민지였던 나라가 다른 나라의 힘을 빌려 독립을 했을 경우에는 힘을 빌려준 나라가 시키는 대로 해야 할 것 같다. 힘을 빌려준 나라는 빌려준 대가를 바랄 것이고 자꾸 무엇인가를 요구하게 될 것이다. 그러면 독립을 해도 국민들은 여전히 힘들게 살 것 같다.

생각 펼치기
생각책 **103**쪽

이 책으로 공부한 어린이들의 실제 답안을 그대로 실었습니다. 어린이들의 다양한 생각과 관심을 파악할 수 있을 것입니다.

[일월초5 유서은]

[황룡초6 최서영]

역사와 뛰놀기
생각책 **104**쪽

[한내초5 김서진]

[일월초5 강예린]

[한내초5 최아정]

세계를 놀라게 한 조선인들

1936년

10

학습 목표
1. 일제 강점기 조선인들의 활약을 알아본다.
2. 일제 강점기의 문화와 생활을 알아본다.
3. 월계관을 만들어 본다.

생각 한 걸음
생각책 108쪽

1 손기정, 남승룡 (한국사 편지 5권 165쪽)
2 일장기 말소 사건 (한국사 편지 5권 166쪽)
3 서윤복 (한국사 편지 5권 168쪽)
4 최승희 (한국사 편지 5권 169쪽)
5 카프 (한국사 편지 5권 169쪽)
6 〈조선의 어머니〉 (한국사 편지 5권 173쪽)
7 김염 (한국사 편지 5권 174쪽)

생각 두 걸음
생각책 109~110쪽

[😊 😊] 표시는 이 책으로 공부한 어린이들이 실제로 쓴 답안 중에서 적절한 것을 골라 실은 것입니다. 만약 지금 문제를 풀고 있는 어린이가 다소 다른 대답을 하더라도 문항의 핵심을 충분히 이해했다면 어린이의 다양한 생각을 존중해 주세요.

1 ❶

❷ 😊 의생활이 가장 많이 변화했다고 생각한다. 옷차림이 간편해지면서 생활이 편해졌기 때문이다.

😊 식생활에 가장 큰 변화가 있었다. 이전에 맛보지 못한 새로운

음식을 먹기 위해 열심히 일을 했을 것이다.

🧒 주생활에 가장 큰 변화가 있는 것 같다. 한옥에서 양옥으로 바뀌고, 좌식 생활에서 입식 생활로 바뀌었기 때문에 문화 자체가 바뀌었을 것이다.

❸ 🧒 새롭고 편리한 문물이 들어와서 살기 편해졌다는 생각을 했을 것이다.

🧒 빠른 변화에 적응하려는 노력을 해야겠다는 생각을 했을 것이다.

🧒 다양한 서양 문물 때문에 우리의 전통이 사라질까 봐 염려했을 것 같다.

2 ❶ **안창남**: 비행기 조종사 **엄복동**: 자전거 선수

석주명: 곤충학자(나비 박사) **박에스더**: 의사

❷

깊이 생각하기
생각책 111쪽

1.
레니 리펜슈탈	나라를 잃었음에도 불구하고 열심히 경기에 임하는 모습이 대단한 것 같아요. 손기정의 마라톤 우승은 기록으로 남겨 둘 만큼 의미가 있다고 생각합니다.
파블로 피카소	조선의 아름다움을 표현한 훌륭한 무용수군요. 그녀의 공연은 세계적으로 인정을 받을 만큼 훌륭하다고 생각합니다.

2 🧒 사진을 본 조선인들이 민족의식을 느끼고 일본에 반항할까 봐 신문의 발행을 정지했을 것 같다. 아무리 일제의 통치를 받고 있더라도 손기정은 조선인이었는데 일본 국기를 달고 세계 대회에 출전한 사실에 조선 사람들은 울분을 터트렸을 것이기 때문이다.

👦 〈동아일보〉와 〈조선중앙일보〉가 일본의 조선 통치를 인정하지 않는 것처럼 느껴졌기 때문에 발행을 정지시켰을 것이다. 일본의 지배 아래 있던 신문사들은 일본에 유리한 내용의 기사를 실어야 하는데, 일장기를 지워 버린 사진을 실은 신문사들은 그렇지 않다고 판단했기 때문이다.

👧 신문이 사람들의 생각에 큰 영향을 미쳐 일본에 저항할 수도 있기 때문에 일장기를 지운 사진을 실은 신문들의 발행을 중지시켰을 것이다.

3 👦 세계적으로 여러 분야에서 활약하는 사람들을 보고 뿌듯함을 느꼈을 것이다. 비록 일본에게 나라는 빼앗겼지만, 조선 사람들이 국제 무대에서 상을 받고 활약을 하는 것을 보면서 조선에 대한 자긍심을 조금이라도 갖게 되었을 것 같다.

👧 나라를 잃은 현실에 대해 비참한 생각이 들었을 것 같다. 국제 대회에서 금메달을 따고도 떳떳하게 태극기를 달지 못한 손기정 선수의 모습에서 슬픈 마음이 들었기 때문이다.

👦 보통 사람들이 예술을 접할 기회가 많이 없어서 별다른 생각은 못했을 것 같다. 살아가는 데 바쁘고 힘들어서 스포츠와 예술 등에 관심을 갖지 못하는 사람들이 많았을 것 같기 때문이다.

생각 펼치기
생각책 112~113쪽

이 책으로 공부한 어린이들의 실제 답안을 그대로 실었습니다. 어린이들의 다양한 생각과 관심을 파악할 수 있을 것입니다.

인터뷰 질문: 손기정
① 일장기 말소 사건에 대해 어떻게 생각하시나요?
② 기미가요를 들을 때 기분이 어땠나요?
③ 2시간 30분대의 마라톤 기록을 깼을 때 기분이 어땠나요?
④ 자신의 라이벌은 누구라고 생각하시나요?
⑤ '손기정'은 어느 나라 사람이라고 생각하나요?
⑥ 만약 어렸을 때 가정 형편이 좋았어도 달리기를 했을까요?

인터뷰 기사
오늘은 우리나라 마라톤 사상 최초로 두 시간 삼십 분의 벽을 깬 손기정 선수를 만나 보았다. 그가 카페 문을 열고 들어왔고, 나는 가벼운 인사와 함께 가장 궁금했던 질문을 던졌다. 두 시간 삼십 분대의 마라톤 기록을 깼을 때 기분이 어땠는지를 묻자, 그는 기쁘고 행복했다고 했다. 덧붙여 우리나라가 일본의 지배를 받고 있던 상황이었던 게 안타깝고 아쉽다는 말을 남겼다.

〈조선중앙일보〉와 〈동아일보〉의 일장기 말소 사건이 일어났을 때 손기정 씨는 어떤 마음이었을지 궁금했다. 그는 조선 사람이라면 당연히 내 가슴의 일장기를 지우고 싶었을 것이라며 목소리를 약간 높였다. 나는 그가 어려운 형편 때문에 운동을 시작했다는 것을 알고 있었다. 그래서 그에게 조심스러운 질문을 하나 했다. 만약 어렸을 적에 가정 형편이 좋았어도 마라톤을 했을지. 뜻밖에 그는 약간의 눈물을 보였다. 순간 나도 당황했다. 하지만 그는 천천히 눈물을 닦으며 차분하게 대답했다. 가난하지 않았다면 힘들게 달리지 않고 공부를 했을 거라는 예상외의 대답이었다. 자기가 처한 상황에서 최선을 다하고 묵묵히 달려온 손기정 선수의 모습이 존경스러웠다.

마지막으로 나는 어려운 질문을 던졌다. '마라토너 손기정'은 일본인이라고 생각하는지 조선인이라고 생각하는지 알고 싶었다. 그는 내 말이 끝나기도 전에 단호한 목소리로 당연히 조선인, 조선 사람이라고 대답했다. 인터뷰는 짧았지만 그가 얼마나 나라를 사랑하는지 알 수 있는 시간이었다. 고마움과 아쉬움, 쓸쓸함이 남는 인터뷰였다. 그와 인터뷰를 마친 건 서늘한 바람이 부는 오후 네 시였다.

[대화초4 이승민]

역사와 뛰놀기
생각책 **114**쪽

[일월초5 김병철]

끌려간 젊음과 비굴한 친일파

1943년

11

학습 목표
1. 일본의 강제 징용과 징병을 알아본다.
2. 일본의 민족 말살 정책과 친일파를 알아본다.
3. 시를 낭송해 본다.

생각 한 걸음
생각책 118쪽

1 강제 징용, 징병 (한국사 편지 5권 179쪽, 182쪽 참고)
2 일본이 평양 미림 비행장을 짓는 데 끌려간 조선인 노동자 800여 명을 군사 기밀을 지킨다는 이유로 모조리 죽인 사건이다. (한국사 편지 5권 179~181쪽 참고)
3 일본군 위안부 (한국사 편지 5권 183쪽 참고)
4 친일파 (한국사 편지 5권 185쪽 참고)
5 창씨개명 (한국사 편지 5권 187쪽 참고)
6 황국 신민의 서사 (한국사 편지 5권 187쪽 참고)
7 반민족 행위 특별 조사 위원회(반민특위) (한국사 편지 5권 190쪽 참고)

생각 두 걸음
생각책 119~121쪽

[😊🙂] 표시는 이 책으로 공부한 어린이들이 실제로 쓴 답안 중에서 적절한 것을 골라 실은 것입니다. 만약 지금 문제를 풀고 있는 어린이가 다소 다른 대답을 하더라도 문항의 핵심을 충분히 이해했다면 어린이의 다양한 생각을 존중해 주세요.

1 ❶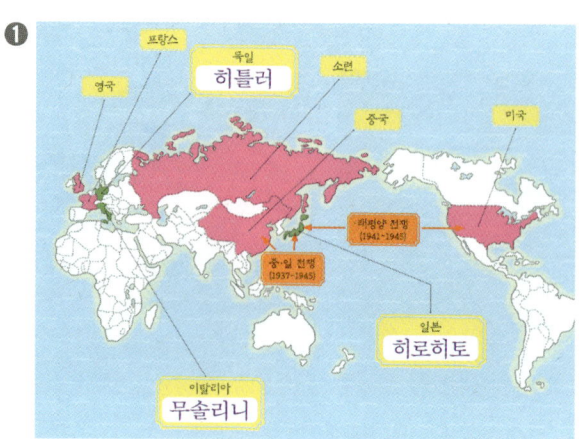

❷ 중·일 전쟁, 태평양 전쟁

❸ 😊 많은 나라가 전쟁에 참여하면, 두 나라가 전쟁을 할 때보다 더 많은 사람들이 죽는다.
　👧 여러 나라가 서로 얽혀서 전쟁이 빨리 끝나지 않는다.

2 ❶
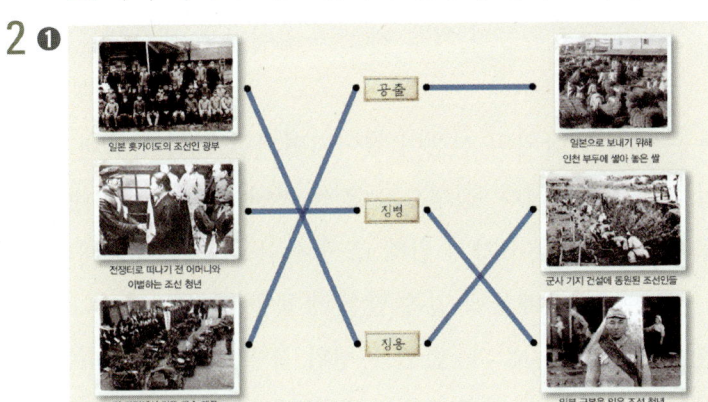

❷ 🧒 전쟁을 하는 데 사람과 물자가 필요해서 식민지인 조선에서 가져간 것이다.

❸ 👧 아들을 전쟁터로 내보내고, 딸을 정신대에 보낸 어머니는 마음이 아팠을 것이다.
　😊 전쟁으로 인한 무리한 공출과 부족한 식량 때문에 살기가 힘들었을 것이다.

3 ❷ 👧 ㉠관 ㉡문 ㉢경 ㉣언

❸ 🧒 자신의 부귀영화와 출세를 위해서이다.
　👧 일본이 끈질기게 달래고 협박했기 때문이다.

깊이 생각하기
생각책 **122**쪽

1 😊 일본은 침체된 경제를 회복하기 위해 전쟁을 선택한 것 같다. 전쟁에서 여러 나라를 침략해, 그 나라를 식민지로 삼아 그곳의 물자와 인력을 이용하여 경제 침체를 벗어나는 데 활용하려고 했을 것이다.
　👧 일본에 반대하거나 일본을 공격하는 나라에 보복하기 위해서인 것 같다. 그간 많은 전쟁으로 군사력을 키웠고, 일본보다 큰 나라라도 공격해서 이길 수 있다는 자신감이 있었던 것 같다.

2 🧒 조선을 식민지로 다스리는 데 이와 같은 정책이 꼭 필요하다고

생각했기 때문이다. 궁성요배와 신사참배로 일본을 받드는 마음을 갖게 하고, 한국어 사용 금지와 창씨개명 등으로 조선 민족의 얼을 짓밟아 다시 일어설 힘을 기르지 못하게 하려고 했을 것이다. 또한 이러한 정책이 독립운동의 싹을 자르는 일이라고 생각했을 것이다.

일본은 여러 나라와의 전쟁이 길어지면서 조선의 사람과 물자가 절실하게 필요해졌다. 징병으로 조선 청년을 전쟁터로 내보내고, 공출로 물자를 걷어 가기 위해 조선 사람들의 일본에 대한 충성심을 높여야 했기 때문에 민족 말살 정책을 펼쳤을 것이다.

3 '반민족 행위 처벌법'과 '반민족 행위 특별 조사 위원회'는 일제 강점기 동안 일본에게 적극적으로 협력하며 온갖 부귀영화와 권력을 누리며 같은 민족인 조선 사람들을 힘들게 한 친일파를 처벌하기 위해 만들었다. 그러나 당시 정치인들 중에 친일파와 관련 있는 사람들이 많았고, 좌우 대립이 심각해지면서 이들의 처벌은 흐지부지되었다. 해방이 되기 전에 목숨을 잃은 독립 운동가들이 이 사실을 알았다면, 무덤에서 벌떡 일어날 일이라고 생각한다. 자신의 후손들은 가족과 집을 잃고, 교육도 제대로 받지 못한 채 가난하게 산 사람들이 대부분인데, 친일파는 약삭빠르게 처벌을 피하고 그 후손들이 호의호식하고 있다는 것을 안다면 어떤 기분이 들까. 국민의 한 사람으로서 부끄럽고, 죄송하다.

친일파를 처벌하기 위해 만들어진 '반민족 행위 처벌법'과 '반민족 행위 특별 조사 위원회'가 성공하지 못한 것은 매우 안타까운 일이다. 나라를 배신한 사람을 벌주지 않는다면, 나라가 위기에 빠졌을 때 누가 나서서 구하려고 하겠는가. 이때 친일파 처벌이 제대로 이루어지지 않아 친일 행위를 했던 유명 인사들이 그 자리를 계속 유지했고, 그들의 이름이 교과서에 실리는 등의 일들이 일어났다. 친일파 처벌이 제대로 이루어지지 않은 것은 과거에 지나간 일만이 아니라, 한국의 미래에도 계속 나쁜 영향을 끼친다고 생각한다.

〈소녀 이야기〉

일본으로 끌려가서 성폭행을 당하는 여성들이 있었다는 것이 놀라웠고, 그들이 너무 불쌍했다. 끌고 가서 고문을 하는 것인 줄 알았는데 성폭행까지 하다니…. 정말 있을 수 없는 일이다. 이런 일본의 짓을 증명해 줄 할머니들이 돌아가셔서 안타깝다. 아무런 위로도 사과도 받지 못하고 돌아가셨으니 그 마음이 얼마나 아팠을까? 일제에게 강제로 끌려간 위안부 할머니들의 이야기를 증언해 줄 사람들이 많이 나타나서 일본이 자신들의 잘못을 인정하고 반성할 수 있기를 바란다. 그래야만 돌아가신 할머니들도, 아직 살아 계신 할머니들도 마음이 편해질 것이다.

[일월초5 김선우]

생각 펼치기
생각책 123쪽

이 책으로 공부한 어린이들의 실제 답안을 그대로 실었습니다. 어린이들의 다양한 생각과 관심을 파악할 수 있을 것입니다.

〈끝나지 않은 이야기〉

애니메이션을 본 후 마음이 무겁다. 그리고 위안부 할머니들이 아직 살아 계시는 것이 참 대단하다는 생각이 들었다. 태평양 전쟁 때 위안부 할머니들이 겪은 일들은 비인간적인 행동이다. 약까지 먹이면서 폭행을 했다는 것은 정말 너무한 짓 아닌가? 강제로 속이고 끌고 오는 것도 그렇고, 성적 행위까지. 정말 생각할수록 화가 난다.

그런 일을 겪고 힘들게, 너무나 힘들게 고향으로 돌아왔는데 가족들과 동네 사람들의 시선 때문에 편하게 살 수 없다니…. 이렇게 한평생을 보내신 할머니들이 너무 불쌍했다. 그리고 사과받지 못한 것이 너무 화가 났다.

애니메이션을 본 뒤 위안부 할머니들이 나오는 다큐멘터리를 봤다. 견디기 힘든 일을 다 겪었는데도 웃음 짓고 있는 할머니들을 보았다. 일본이 하루 빨리 사과하고 할머니들이 예전 일은 모두 잊고 계속 웃음 지으면서 사셨으면 좋겠다. 할머니들 파이팅!

[일월초5 이현아]

해방, 그러나 남북으로 갈린 나라

1945년

12

학습 목표
1. 우리나라가 해방되는 과정을 알아본다.
2. 해방 이후 국내 정치 상황을 알아본다.
3. 끝말잇기 게임을 해 본다.

생각 한 걸음
생각책 128쪽

1 미국 (한국사 편지 5권 195쪽 참고)
2 1945년 8월 15일 (한국사 편지 5권 195~196쪽 참고)
3 북위 38도선 (한국사 편지 5권 197쪽 참고)
4 건국 준비 위원회 (한국사 편지 5권 200쪽 참고)
5 모스크바 삼상 회의 (한국사 편지 5권 201쪽 참고)
6 신탁 통치 (한국사 편지 5권 201쪽 참고)
7 냉전 시대 (한국사 편지 5권 204쪽 참고)

생각 두 걸음
생각책 129~131쪽

[😊😊] 표시는 이 책으로 공부한 어린이들이 실제로 쓴 답안 중에서 적절한 것을 골라 실은 것입니다. 만약 지금 문제를 풀고 있는 어린이가 다소 다른 대답을 하더라도 문항의 핵심을 충분히 이해했다면 어린이의 다양한 생각을 존중해 주세요.

1

2 ❶
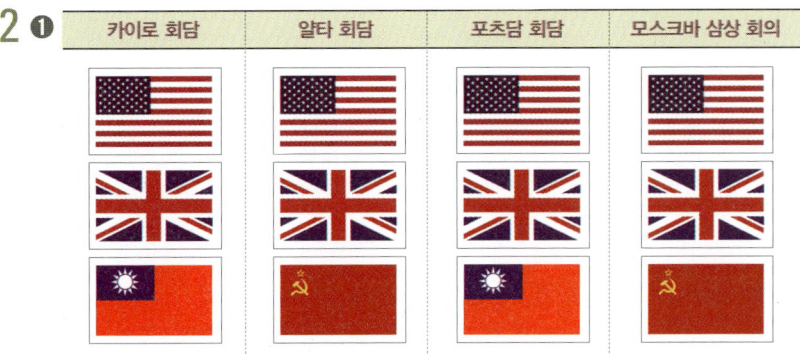

❷ 카이로 회담

❸ 얄타 회담

❹ 〈동아일보〉의 잘못된 기사

3 😊 ㉠가슴 아픈 38 ㉡이게 꿈인가 생시인가?
㉢이제 우리가 한국을 보호해야지! ㉣감개무량한 김구
㉤으흐흑, 올림픽 때도 안 울었는데!

깊이 생각하기
생각책 **132~133**쪽

1 😊 일본이 일제 강점기 때 우리나라에 저질렀던 일을 생각하면 일본이 불쌍하다는 생각이 전혀 들지 않는다. 그렇지만 원자 폭탄의 피해가 엄청나게 크고 그 후유증도 오래 가기 때문에, 미국이 이미 이기고 있다고 판단한 전쟁에 원자 폭탄을 사용한 것은 심한 행동이라고 생각한다.

👧 일본이 전쟁을 하면서 다른 나라에 한 행동을 생각하면 일본도 그만한 피해를 감수해야 한다고 생각한다.

👦 일본이나 미국이나 자신의 힘만 믿고 죄가 없는 사람들을 너무 많이 죽였기 때문에 똑같이 나쁘다. 전쟁은 어떤 일이 있어도 일어나면 안 된다고 생각한다.

2 👦 해방이 되었을 때 우리나라 사람들은 모두가 한마음으로 다른 나라의 지배를 받지 않는 나라, 우리 말과 글을 마음껏 쓰고 말할 수 있는 나라, 국민을 위하는 나라를 원했을 것 같다.

😊 다시는 다른 나라의 침략을 받지 않도록 우리 민족이 똘똘 뭉쳐서 힘을 모으고, 열심히 일해서 잘살고 강한 나라가 되기를 원

했을 것 같다.

3 🧑 〈동아일보〉에서 잘못된 기사를 내보냈던 것이 가장 큰 잘못이라고 생각한다. 모스크바 삼상 회의에서 신탁 통치는 나중에 의논하기로 했다고 결정했다는데 왜 정반대의 기사를 내보냈는지 이해가 되지 않는다. 그 기사 하나 때문에 국민들은 찬탁과 반탁으로 갈라졌고 서로 원수 같은 사이가 되었다.

👦 찬탁, 반탁으로 나뉘어져 싸우게 된 것이 너무나 안타깝다. 국민들이 조금만 침착하게 판단하고 행동했다면 우리나라 사람들끼리 싸우지도 않고 지금처럼 남북한으로 나뉘지 않았을 것이라고 생각한다.

👧 〈동아일보〉에서 잘못된 기사를 쓴 기자를 찾아서 왜 그런 기사를 썼는지 물어보고 싶다. 친일파들이 반탁에 찬성하면서 은근슬쩍 자신들이 애국자인 것처럼 행동한 사람들에게도 왜 그렇게 행동했는지 물어보고 싶다. 그리고 그 사람들에게 진심으로 반성하라고 말하고 싶다.

생각 펼치기
생각책 134~135쪽

이 책으로 공부한 어린이들의 실제 답안을 그대로 실었습니다. 어린이들의 다양한 생각과 관심을 파악할 수 있을 것입니다.

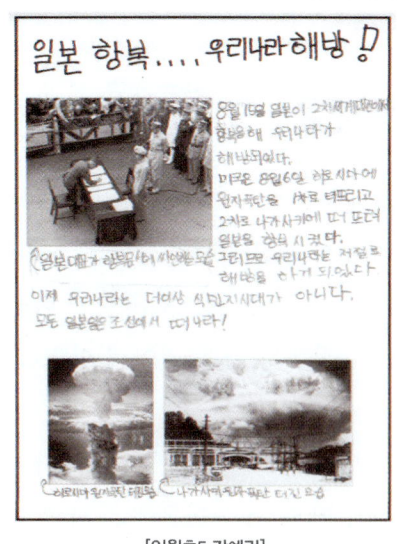

[일월초5 강예린]

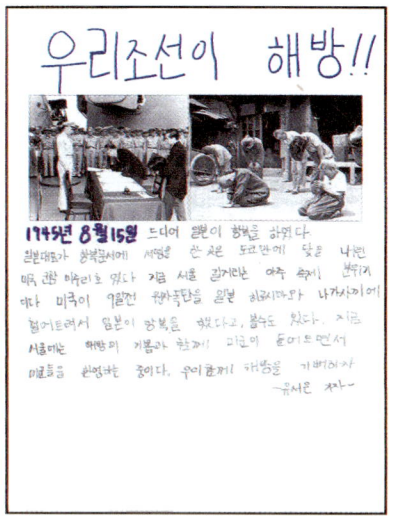

[일월초5 유서은]

13. 38선을 넘는 김구 (1948년)

학습 목표
1. 정부 수립 과정을 알아본다.
2. 김구와 이승만에 대해 알아본다.
3. 자신에게 어울리는 호를 만들어 본다.

생각 한 걸음
생각책 140쪽

1 유엔 (한국사 편지 5권 213쪽 참고)
2 김구 (한국사 편지 5권 214쪽 참고)
3 5·10 선거 (한국사 편지 5권 216쪽 참고)
4 전라북도 정읍 (한국사 편지 5권 219쪽 참고)
5 대한민국, 조선 민주주의 인민 공화국 (한국사 편지 5권 216쪽 참고)
6 경교장 (한국사 편지 5권 220쪽 참고)
7 남한만의 단독 선거 (한국사 편지 5권 222쪽 참고)

생각 두 걸음
생각책 141~143쪽

1 ❶ ㉠김일성 ㉡김규식 ㉢김구
  ❷ 좌익은 사회주의, 우익은 자본주의를 지지했다.
  ❸ 이들의 이름과 활동이 당시 사람들에게 널리 알려졌기 때문이다.
2 ❶ 1945년 8월 15일
  ❷ 모스크바 삼상 회의 (1945.12.16)
  ❸ 제주도
  ❹ ㉠통일 조국 건설하자! ㉡남한만의 단독 정부 반대! ㉢민주주의의 시작

[👦👧] 표시는 이 책으로 공부한 어린이들이 실제로 쓴 답안 중에서 적절한 것을 골라 실은 것입니다. 만약 지금 문제를 풀고 있는 어린이가 다소 다른 대답을 하더라도 문항의 핵심을 충분히 이해했다면 어린이의 다양한 생각을 존중해 주세요.

깊이 생각하기
생각책 144~145쪽

1. 😊 우리 스스로 자주적이고 독립적인 정부를 세우기 어렵게 되었다.
   👩 친일파가 처벌되지 않고, 관리와 경찰로 활동하면서 이후 이들을 처벌하기가 더욱 어려워졌다.
   👦 미국의 이익과 편리를 우선으로 한 정치를 하였기 때문에 우리나라 사람들이 원하는 것과는 거리가 있었다.

2.
김구	이승만
😊 통일 정부를 세워야 해. 남과 북이 각각 정부를 세워 우리 민족이 둘로 나뉘면 우리에게 통일과 독립이 없고 자주와 민주도 없기 때문이야.	👩 남한만의 단독 정부를 세워야 해. 유엔의 결의를 따르지 않는 북한 때문에 언제까지 정부 수립을 미룰 수는 없어.
👦 통일 정부를 세워야 해. 38선을 경계로 우리 민족이 둘로 나뉘면 장차 가족이 이별하고, 동족끼리 싸움까지 일어날 수 있기 때문이야.	👩 남한만의 단독 정부를 세워야 해. 아무리 한민족이라도 소련과 한편이 된 북한과는 상대할 수가 없어. 통일 정부를 세우기가 어려우니 남한만이라도 정부를 수립해야 해.

3. 👩 5·10 선거는 우리 민족이 민주주의를 향해 내디딘 첫 발걸음이다.
   😊 5·10 선거는 우리 민족의 분단을 부른 신호탄이다.
   👩 5·10 선거는 평등하지만 불완전한 선거이다.

생각 펼치기
생각책 146~147쪽

이 책으로 공부한 어린이들의 실제 답안을 그대로 실었습니다. 어린이들의 다양한 생각과 관심을 파악할 수 있을 것입니다.

	중심 내용
2문단	UN 위원회의 내한은 남북에 희망을 주는 계기이다.
3문단	기대하는 통일 정부 수립을 위한 총선거가 실시되면 소중한 한 표를 헛되이 하지 말자.
4문단	총선거가 잘 진행된다고 해도 우리 모두 한마음이 되지 않으면 이 모든 것이 물거품이 될 수도 있다.

요약하기

우리 조국의 정세는 표현할 수 없을 정도의 슬픔과 서러움 속에 있다. 농민들은 농촌에서, 노동자는 공장에서 살길을 찾아 신음하고 있다. 그러나 우리에게는 한 줄기 빛이 있다. 그것은 바로 UN 위원단의 내한이다. 그들이 우리에게 약속한 대로 신탁 없고, 내정 간섭 없는 자주 통일의 독립 정부를 수립하여 준다면 우리에겐 희망의 빛이 보이는 것이다. 이로써 모든 슬픔을 잊고, 기대하는 통일 정부 수립을 위한 총선거가 실시되면 소중한 한 표를 헛되이 하지 않도록 해야 한다. 만약에 기대하던 총선거가 잘 진행이 된다고 해도 우리 모두 한마음이 되지 않으면 희망의 빛도 바로 사라진다. 그러므로 우리 모두 한마음이 되어 민족끼리 단합하자.

[일월초5 공윤배]

	중심 내용
2문단	우리에게 한 줄기 밝은 빛이 있으니 UN 위원단의 내한이다.
3문단	우리는 잠시라도 비애를 잊고 새해 새 손님을 기쁘게 맞이하는 동시에 최선을 다하여 그들과 공동 노력할 것이며 수시로 우리의 정당한 주장을 발표하여 기어이 이를 관철하도록 하자.
4문단	우리는 마땅히 신년 벽두에 과거 1년 동안의 모든 과오를 깨끗이 청산하고 먼저 우리 민족끼리 단결하자.

요약하기

전 세계에 평화의 봄빛은 없다. 더구나 우리 조국의 정세는 표현할 수 없을 정도의 슬픔과 서러움이 있다. 하지만 우리에게 한 줄기 밝은 빛이 있으니 UN 위원단의 내한이다. 그러므로 우리는 잠시라도 모든 비애를 잊고 새해 새 손님을 기쁘게 맞이하는 동시에 최선을 다하여 그들과 공동 노력할 것이며, 수시로 우리의 정당한 주장을 발표하여 기어이 이를 관철하도록 하자. 따라서 우리는 마땅히 신년 벽두에 과거 1년 동안의 모든 과오를 깨끗이 청산하고 먼저 우리 민족끼리 단결하자.

[일월초5 강현수]

이름	고유림
호	청인(青人)
호의 뜻	푸를 '청'과 사람 '인'을 합쳐 '푸른 사람' 이라는 뜻이다.

[대화초5 고유림]

이름	이승민
호	남경(南暻)
호의 뜻	남쪽의 밝은 빛

[대화초5 이승민]

이름	문휘현
호	녹야(綠野)
호의 뜻	봄철의 파랗게 물들어 가는 들판처럼 싱그러운 사람

[대화초6 문휘현]

역사와 뛰놀기
생각책 **148**쪽

14 민족을 둘로 가른 전쟁, 6·25
1950년

학습 목표
1. 6·25 전쟁이 일어난 이유와 과정을 알아본다.
2. 6·25 전쟁의 결과를 알아본다.
3. 전쟁, 이산가족과 관련된 노래를 감상해 본다.

생각 한 걸음
생각책 152쪽

1 1950년 6월 25일 (한국사 편지 5권 227쪽 참고)
2 맥아더 장군 (한국사 편지 5권 230쪽 참고)
3 부산 (한국사 편지 5권 231쪽 참고)
4 중국 (한국사 편지 5권 232쪽 참고)
5 1·4 후퇴 (한국사 편지 5권 233쪽 참고)
6 정전 협정 (한국사 편지 5권 234쪽 참고)
7 소파(SOFA) (한국사 편지 5권 238쪽 참고)

생각 두 걸음
생각책 153~155쪽

[👦👧] 표시는 이 책으로 공부한 어린이들이 실제로 쓴 답안 중에서 적절한 것을 골라 실은 것입니다. 만약 지금 문제를 풀고 있는 어린이가 다소 다른 대답을 하더라도 문항의 핵심을 충분히 이해했다면 어린이의 다양한 생각을 존중해 주세요.

1 ❶❷❸❹

2 ❶ 👦 폭격이 많아서 집이 무너지고 불타는 등 생명의 위협을 느끼게 되었기 때문에 더 안전한 곳으로 피난을 갔다.
👧 전쟁으로 먹을 것을 구하기 힘들었기 때문에 먹을 것과 안전한 곳을 찾아 피난을 떠났다.
👦 북한군이 점령하면 어떤 일들을 겪게 될지 모르므로 무서워서 피난을 갔다.
❷ 👦 포로수용소로 잡혀갔다.
👦 포로수용소로 잡혀가서 노동을 하고, 왜 인민군이 되었는지 심문받고, 죄에 맞게 처벌받았을 것이다.
👧 포로수용소에 잡혀갔다가 정전이 되었을 때 북한에 잡힌 남측 포로들과 교환되었을 것이다.
❸ 👦 피난 나올 때 가지고 온 먹을 것이나, 살림살이 등을 팔았을

것이다.

👩 전쟁 피해가 적은 곳에서 생산한 물건을 가져다가 팔았을 것이다.

👦 전쟁 중에는 먹는 것이 가장 중요하므로 주로 먹을 것을 팔았을 것이다.

👧 유엔군이 지원하는 물건을 가져다가 팔았을 것이다.

❹ 👦 무너진 집을 고치거나 새로 짓고 살았을 것이다.

👩 집과 땅과 논, 밭이 폐허가 되었기 때문에 다시 고치고 정리해서 살기 너무 힘들었을 것이다.

👦 피난 간 사이에 다른 사람들이 내 집에서 살게 되었다면 돌아온 후 원래 주인과 전쟁 동안 살았던 사람 사이에서 싸움도 일어날 수 있을 것 같다. 전쟁이 끝난 후엔 다 살기가 혼란스럽고 어려웠을 것이다.

👧 고향에서 살기 어려울 경우에는 집을 버리고 다른 살기 좋은 곳을 찾아 가서 살았을 것이다.

3 👦

㉠ 우리 엄마 아빠는 어디에 계실까? 살아 계실까? 난 다행히 밥은 먹었는데, 엄마 아빠 보고 싶다.

㉡ 총 쏘는 법도 모르는데…. 전쟁에 나가는 거 너무 무섭다.

㉢ 이거라도 먹고 힘내서 꼭 이겨 주시오.

㉣ 전쟁이 나도 공부는 계속 해야 하는구나.

㉤ 공부 열심히 해서 똑똑한 사람이 많아져야 우리나라가 강해집니다!

깊이 생각하기
생각책 156~157쪽

1 👦 각각 나라를 세운 후 남북한이 서로를 한 민족이 아니라 적으로 생각하여 미워하고 경쟁했기 때문이다.

👧 미군이 남한에서 떠났기 때문이다. 소련이 북한의 무력 침공을 승인했는데 미국은 남한에서 철수를 했기 때문에 북한이 쉽게 쳐들어올 수 있었다.

🧒 미국과 소련의 욕심 때문이다. 남한은 미국의 도움을 받아 정부를 세웠고, 북한은 소련의 도움을 받아 정부를 세웠는데 한반도에서 두 나라가 더 큰 세력을 차지하려고 했기 때문이다.

2 👧 **남·북한:** 약 400만 명이 죽거나 다쳤으며, 부모를 잃은 고아들도 많이 생겼다. 철도와 다리, 집과 건물, 공장 등이 파괴되어 살기 어려워졌고, 논, 밭도 파괴되어 농사짓기도 힘들게 되었다. 남한은 미국, 북한은 소련과 중국의 도움을 많이 받았기 때문에 전쟁이 끝난 후에도 남한과 북한은 그 나라들의 영향 아래에 놓이게 되었다. 또한 서로에 대한 적대감이 커졌고, 분단 상황이 굳어지게 되었다.

미국: 참전한 군인들이 다치거나 죽었다. 무기들을 많이 사용했기 때문에 돈이 많이 들었다. 남한을 도와주었기 때문에 남한에 대한 영향력이 더 커졌다. 한반도를 소련이 다 차지하는 것을 막을 수 있었다.

소련: 참전한 군인들이 다치거나 죽었다. 무기들을 많이 사용했기 때문에 돈이 많이 들었다. 북한을 도와주었기 때문에 북한에 대한 영향력이 더 커졌다. 한반도를 미국이 다 차지하는 것을 막을 수 있었다.

일본: 전쟁 동안 무기와 약품, 음식 등을 팔아 많은 돈을 벌 수 있었다. 6·25 전쟁은 이후 일본이 경제 대국으로 일어서는 계기가 되었다.

3 🧒 당시는 자본주의의 대표 미국과 사회주의의 대표 소련이 서로 날카롭게 대립하는 냉전 시대였다. 6·25 전쟁은 남한과 북한이 미국과 소련을 대신해서 한반도에서 전쟁을 한 것이기 때문에 대리 전쟁이라고 하는 것이다.

생각 펼치기
생각책 158~159쪽

이 책으로 공부한 어린이들의 실제 답안을 그대로 실었습니다. 어린이들의 다양한 생각과 관심을 파악할 수 있을 것입니다.

《적》을 읽고

전쟁에 관한 책을 읽었다. 책의 제목은 '적'이었다. 이 책의 주인공인 두 명의 병사는 서로를 괴물이라고 생각한다. 하지만 우연히 '적'에게도 가족이 있다는 것을 알아내고, 전쟁을 끝내자는 쪽지를 병에 담아 서로에게 보낸다.

 전쟁이 나면 사람들은 전쟁에 참가하는 병사들을 하나같이 괴물이라고 생각할 것이다. 하지만 그렇지 않다. 책 속에 나오는 두 명의 병사처럼 가족이 있는 평범한 사람들이다. 병사들은 잔인하게 굴고 서로를 공격해야만 자기가 죽지 않으니까 지시에 따라서 괴물처럼 무섭게 행동하는 것이다. 전쟁은 죽여야 하는 적을 만들고 무시무시한 괴물을 만든다.

 각 나라의 대통령이나 왕, 지도자들이 서로를 이해한다면 전쟁은 일어나지 않을 수 있을까? 욕심을 부리지 않고 서로를 이해하기만 한다면 우리가 사는 지구는 평화로워지지 않을까 하고 생각해 본다.

[한내초4 최아정]

《할아버지의 뒤주》를 읽고

 뒤주는 옛날에 쌀을 담아 놓는 나무로 만든 통이라고 알고 있었다. 그런데 이 책에서 그 뒤주가 타임머신인 것부터 신기했다. 민제가 새벽에 깨어 보니 할아버지는 등산용 가방을 메고 땀범벅으로 뒤주에서 나오면서 민제에게 비밀로 해 달라고 부탁하셨는데 이상했다. 왜 새벽에 뒤주에서 할아버지가 나오며, 땀범벅이 된 건지 말이다.

 어느 날, 뒤주 열쇠를 꼭 챙기던 할아버지가 열쇠를 두고 가 민제는 뒤주 속으로 들어가 볼 수 있었다. 뒤주 문을 열자 임진왜란 때가 나와 신기했다. 민제가 몰래 뒤주 안으로 들어간 것은 나쁘지만, 뭔가 몰래 행동한다는 것은 흥미진진하다. 하지만 민제는 할아버지한테 들키고 진지하게 할아버지와 얘기를 했다. 그러면서 6·25 전쟁과 큰할아버지 이야기가 나왔다. 큰할아버지가 병에 걸려 돌아가신 줄 알았지만 사실 6·25 전쟁 때 할아버지 때문에 행방불명이 됐다는 것이다. 나는 '어떻게 된 일일까?' '할아버지와 큰할아버지 사이에 무슨 일이 있었던 것일까?' 등 책을 읽을수록 궁금한 것들이 자꾸 생겨났다. 할아버지와 민제가 뒤주 속 6·25 전쟁 때로 갈 땐 무섭기도 했다. 민제가 뒤주 속 과거에서 만난 미군에게 영어 이름과 한국 이름을 알려 주었다. 그런데 다음날 그 미군이 민제를 찾고 싶다고 말해 '진짜 과거로 가는 거구나! 과거가 바뀌니 현재도 바뀌는구나!'라는 생각이 들었다. 민제는 다치신 할아버지 대신 뒤주 속으로 혼자 들어가 큰 할아버지를 구해 냈다. 그 증거는 바로 전화였다. 뒤주에서 민제가 나온 날 적십자회에서 할아버지를 찾았고, 그 내용은 북에서 형(큰할아버지)이 편지를 보냈다는 것이었다. 순간 울컥했다. '할아버지가 드디어 소원을 이루셨구나….'

타임머신이라고 하면 엄청난 컴퓨터가 있고, 비행기 조정석 같이 복잡한 기계들이 있는 엄청난 물건이라고 생각했는데, 뒤주가 타임머신이 된다니 정말 재미있는 생각이다. 그리고 그 뒤주 타임머신을 통해 과거에 헤어진 사람도 찾아내 현재를 바꿀 수 있다는 것도 재미있다. 내가 뒤주 타임머신에 들어간다면 언제로 가면 좋을까? 과거? 미래? 어디가 되었든 좀 무섭긴 하다.

그리고 다시는 6·25 전쟁과 같은 전쟁이 일어나지 않았으면 좋겠다. 가족끼리 헤어지고, 소식을 모른 채 산다는 것은 너무 슬픈 일이다. 그리고 더 빨리 통일이 되었으면 좋겠다. 우리 할머니도 6·25 전쟁 때 북에서 남으로 내려오셨다. 빨리 통일이 되어 할머니께서 고향도 가시고 보고 싶었던 가족들, 친구들을 만나셨으면 좋겠다.

[일월초5 강예린]

경제 성장의 빛과 그늘

1970년

15

학습 목표
1. 전쟁 후 우리나라의 경제 상황을 알아본다.
2. 전태일과 노동 운동을 알아본다.
3. 보드게임으로 여러 나라 문화를 알아본다.

생각 한 걸음
생각책 164쪽

1 무상 원조 (한국사 편지 5권 243쪽 참고)
2 아시아의 용, 한강의 기적 (한국사 편지 5권 243쪽 참고)
3 고도성장 (한국사 편지 5권 245쪽 참고)
4 새마을 운동 (한국사 편지 5권 246~247쪽 참고)
5 전태일 (한국사 편지 5권 248쪽 참고)
6 근로 기준법 (한국사 편지 5권 249쪽 참고)
7 다문화 사회 (한국사 편지 5권 255쪽 참고)

생각 두 걸음
생각책 165~167쪽

[☺ ☺] 표시는 이 책으로 공부한 어린이들이 실제로 쓴 답안 중에서 적절한 것을 골라 실은 것입니다. 만약 지금 문제를 풀고 있는 어린이가 다소 다른 대답을 하더라도 문항의 핵심을 충분히 이해했다면 어린이의 다양한 생각을 존중해 주세요.

1 ❶ ☺ 농산물과 수산물의 기준 연도와 목표 연도가 가장 흥미를 끌었다. 현대에 풍족한 쌀, 보리, 돼지 등이 과거에는 부족했다는 사실이 신기했기 때문이다.
☺ 1960년대 가족계획 포스터가 가장 흥미를 끌었다. 시대마다 가족계획이 달랐다는 것이 놀라웠기 때문이다.
☺ 새로 건설될 도로와 철도가 가장 흥미를 끌었다. 지금 우리가 이용하고 있는 도로와 철도가 생겨나는 과정이 궁금했기 때문이다.
❷ ☺ 당시 대부분의 국민이 먹을 것이 부족한 가난한 생활을 하고 있었기 때문이다.
☺ 쌀을 비롯한 농산물을 자급자족하지 못하는 상태였기 때문이다.
❸ ☺ 철도와 도로를 이용하면 물건을 만들 수 있는 재료도 쉽게 구할 수 있고, 만든 물건도 실어 나르기 쉬워 경제 개발에 도움이 되었다. 전력 개발을 하면 사람들이 낮에만 일할 수 있는 것이 아니라, 밤에도 일할 수 있게 되어 경제 개발에 도움이 되었다.
❹ ☺ 알콩달콩 둘만 낳아 예쁘게 잘 기르자.
☺ 둘만 낳아 잘 기르면 나라도 나도 잘사는 지름길

2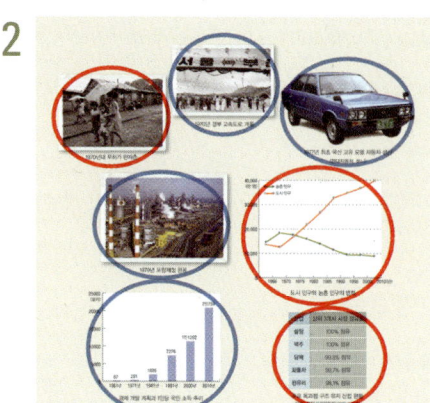

😊 1970년 경부 고속도로 개통, 1977년 최초 국산 고유 모델 자동차, 1979년 포항제철 완공, 1인당 국민 소득 증가가 경제 개발의 성과라고 생각한다. 고속도로가 생겨 경제가 발전할 수 있는 기반을 마련했고, 자동차, 제철 등의 산업 분야가 발전하여 경제가 활발해졌다. 또한 이러한 경제 개발로 국민 소득도 증가하여 국민들이 잘 살게 되었기 때문이다.

1970년대 무허가 판자촌 모습, 도시 인구와 농촌 인구의 변화, 주요 독과점 산업 현황이 무리한 개발의 부작용이라고 생각한다. 국민들의 생활이 나아지긴 했지만, 무허가 판자촌에 사는 사람들처럼 먹고살기 힘든 사람들도 생겨났다. 그리고 도시에 취직하기 위해 많은 사람이 농촌을 떠나 도시로 이동하면서 도시와 농촌의 인구 차이가 크게 나기 시작했다. 또한 빠른 시간 안에 산업을 키우기 위해 특정 기업에 특혜를 주면서 대기업이 생겼는데, 이 대기업의 독과점이 심해져 작은 기업들은 견디기 어려워졌다.

3

㉠	😊 100억 불 수출이라니, 믿기지 않아. 이제 우리나라는 못사는 나라가 아니야.
㉡	👦 새벽달, 저녁달 보면서 만든 가발 👧 눈과 손만 움직이는 가발 공장
㉢	👷 영차~ 영차~ 힘내자!
㉣	😊 난 이렇게 농사를 지으면서 힘들게 살아가는데, 저기 아파트에 사는 사람들은 따뜻한 집에서 편히 잘 지내겠지? 나도 저런 아파트에서 살아 봤으면 좋겠다.
㉤	👨 흐르는 눈물, 잊히지 않는 그의 의지. 👩 아들의 뜻 영원히 내 마음에 기억하리라.

깊이 생각하기
생각책 **168**쪽

1. 😊 정부가 경제 개발 계획을 잘 세웠기 때문에 우리나라 경제가 고도성장할 수 있었다. 정부가 세운 경제 개발 계획에 맞춰 교통과 통신 등을 갖추게 되었고, 제철소, 조선소, 자동차 등의 산업도 키울 수 있게 되었다. 또한 국민들의 의식주도 점점 좋아지게 되었다.
👩 우리나라 국민은 국내, 국외에서 게으름을 피우지 않고 열심히 맡은 일을 했다. 국민이 잘살기 위해 노력했기 때문에 우리나라 경제가 고도성장할 수 있었다.
👦 정부와 국민이 잘살기 위해 함께 노력했기 때문에 우리나라 경제가 고도성장할 수 있었다. 정부와 국민이 한마음으로 노력하지 않았다면 우리나라 경제는 고도성장하기 어려웠을 것이다.
👧 적은 임금을 받으며 힘들게 일한 노동자들의 희생이 있었기 때문에 고도성장이 가능했다.

2. 😊 근로자가 인간다운 삶을 살기 위해서 근로 기준법이 필요하다고 생각한다. 근로 기준법이 없으면 기업가는 기업의 이윤만을 생각할 가능성이 많다. 기업가는 기업의 이윤을 높이기 위해 근무시간을 늘리거나, 임금을 적게 주는 등의 행동을 할 것이고, 근로자의 삶은 힘들어질 것이기 때문이다.
👩 기업가, 근로자 모두가 잘살기 위해서 근로 기준법이 필요하다고 생각한다. 근로자가 좋은 환경에서 일하면 능률도 올라 일도 열심히 하게 되어 기업은 더 성장하게 되기 때문이다.

3. 👦 '경제 성장의 빛'은 밖으로 드러나는 멋진 모습들이라고 생각한다. 자동차, 쭉 뻗은 도로, 높은 빌딩, 아파트, 큰 공장, 발전소 등을 들 수 있다. 과거보다 더 좋아진 사람들의 모습도 '경제 성장의 빛'이라고 할 수 있다.
'경제 성장의 그늘'은 급속한 경제 성장이 가져온 부작용이라고 생각한다. 자연환경은 무분별한 개발로 황폐해지고, 공장 등의 시설 때문에 오염되었다. 그리고 도시화되는 지역이 많아지면서 사람들은 다른 사람들과 대화하는 시간이 줄어들어 서로 소통하기 어려워졌다. 또한 경제 성장 뒤에 가려져 밤낮 없이 힘들게 일을 하며 살아가는 근로자의 모습도 '경제 성장의 그늘'이라고 할 수 있다.

생각 펼치기

생각책 169~171쪽

이 책으로 공부한 어린이들의 실제 답안을 그대로 실었습니다. 어린이들의 다양한 생각과 관심을 파악할 수 있을 것입니다.

내 주장: 규칙은 반드시 지켜야 한다.

서론	규칙은 구성원끼리의 약속이다. 그러나 상황에 따라 지킬 수 없는 경우도 생긴다. 그러면 지킬 수 없는 상황이라면 규칙은 안 지켜도 되는가?
본론	규칙은 반드시 지켜야 한다. 규칙은 신뢰를 기본으로 한다. 규칙은 공공의 이익과 안전을 지켜 주고 사회 질서를 유지한다.
	하지만 규칙을 어길 수 있는 경우가 생기기도 한다. 예를 들어 학교에 지각하지 않기 위해서 학교 담장을 넘을 수 있다.
	규칙을 어기는 상황은 지속적이지 않다. 이런 상황은 자신의 의지와 노력에 따라 달라질 수 있다.
결론	규칙은 공공의 이익과 안전, 사회 질서 유지를 위해 반드시 필요하므로 꼭 지켜야 한다.

본론 쓰기

　규칙은 구성원끼리의 약속이다. 약속을 지키지 않으면 서로에게 불만이 생기고 서로를 믿지 못하게 된다. 그러면 구성원 사이에 갈등이 생기고 다툼이 많아지면서 혼란스러워진다. 이런 혼란을 막기 위해서는 반드시 규칙을 지켜야 한다.

　하지만 가끔 규칙을 지키지 못하는 상황이 생기기도 한다. 규칙을 지키기 위해 규칙을 어기게 되는 상황이 있다. 예를 들어, 학교에 지각하지 않기 위해 학교의 담장을 넘는 일 등이다. 하지만 이런 상황은 지속적이지 않고 자신의 의지와 노력으로 고칠 수 있는 부분이다. 또 규칙을 지키기 위해 다른 규칙을 어긴다는 것은 어떤 규칙이 더 중요하고 덜 중요한지를 자기가 마음대로 판단하는 것이므로 사회에 더 큰 혼란을 줄 수도 있다.

　그러므로 모두가 약속한 규칙은 그 규칙이 바뀌지 않는 한 사회의 질서 유지를 위해 꼭 지켜져야 한다.

[일월초5 강현수]

내 주장: 규칙은 상황에 따라 지키지 않아도 된다.

서론	규칙은 혼란과 싸움을 막기 위해 만들어졌다. 하지만 규칙을 다 지킨다고 혼란과 싸움이 안 생기는 것은 아니다.

본론	규칙은 상황에 따라 지키지 않아도 된다. 모든 규칙이 모든 상황에서 다 옳은 것은 아니기 때문이다. 예를 들어, 학교 복도의 우측통행은 쉬는 시간에만 필요하다.
	상황에 따라 규칙을 지키고 안 지키고 하게 되면 혼돈스럽고, 그것이 반복되면 버릇이 될 수도 있다. 하지만 그것은 개인이 알아서 할 일이다.
	규칙을 무조건 지켜서 능률이 떨어지는 것보다 적당히 상황에 따라 판단해서 행동하면 된다. 규칙을 지키지 않아서 생기는 문제는 개인이 책임져야 한다.
결론	많은 사람의 평화를 위해서 규칙을 만들었지만 다른 사람에게 피해가 가지 않는다면 규칙을 꼭 지킬 필요는 없다.

본론 쓰기

 규칙은 많은 사람들이 함께 있는 곳에서 질서를 위해 만들어진 것이다. 하지만 모든 규칙이 모든 상황에 다 옳고, 평화를 가져다주는 것은 아니다. 따라서 상황에 따라서는 규칙을 지키지 않아도 된다.

 예를 들어 학교 복도에서는 쉬는 시간에 뛰지 말고, 우측통행을 해야 하는 규칙이 있다. 이 규칙은 아이들이 많은 쉬는 시간에는 질서를 위해 필요하지만, 아이들이 없는 시간에는 필요하지 않다. 아무도 없는 복도에서는 우측으로 가든, 좌측으로 가든 상관없고, 뛰어도 상관없기 때문에 이럴 경우에는 이 규칙을 지키지 않아도 된다.

 상황에 따라 규칙을 지키고 안 지키고 하면 가끔은 헷갈리기도 하고, 그것이 버릇이 되면 지켜야 할 상황에서도 안 지키는 일이 생길 수 있다. 하지만 이것은 그 사람이 알아서 판단할 문제이다. 다른 사람에게 피해를 주는지 잘 판단할 수 있는 사람이라면 문제없다. 그리고 자기가 규칙을 안 지켰다가 다친다거나 선생님께 혼난다면 그것은 그 사람이 책임지면 된다.

 따라서 규칙을 어겼을 때 생긴 문제를 책임질 수 있고, 다른 사람들에게 피해가 가지 않는 상황이라면 규칙은 꼭 지키지 않아도 된다.

[일월초5 김병철]

역사와 뛰놀기
생각책 172쪽

〈다문화 퀴즈 카드 정답〉

01	마닐라	09	워싱턴	17	방콕
02	약 7000여 개	10	알래스카	18	불교
03	하노이	11	북아메리카 대륙	19	프놈펜
04	아오자이	12	울란바토르	20	있다.
05	쌀, 후추, 커피	13	고비사막	21	자카르타
06	만리장성	14	도쿄(동경)	22	4위
07	종이, 화약, 나침반	15	스모	23	아시아
08	베이징(북경)	16	후지산	24	이슬람교

민주주의를 위하여

1987년

16

학습 목표
1. 우리나라의 민주주의 발전 과정을 알아본다.
2. 민주주의 사회를 위한 국민의 노력을 알아본다.
3. 민주주의 약속 나무를 만들어 본다.

생각 한 걸음
생각책 176쪽

1 독재 (한국사 편지 5권 259쪽 참고)
2 마산 (한국사 편지 5권 260쪽 참고)
3 4·19 혁명 (한국사 편지 5권 263쪽 참고)
4 유신 헌법 (한국사 편지 5권 265쪽 참고)
5 광주 민주화 운동 (한국사 편지 5권 267쪽 참고)
6 직접 선거 (한국사 편지 5권 269~270쪽 참고)
7 30년 만의 문민정부 (한국사 편지 5권 271쪽 참고)

1 ❶ ㉠이승만 ㉡박정희 ㉢전두환 ㉣노태우 ㉤김대중
㉥노무현 ㉦문재인

❷ 😊 역사적인 사건을 겪으면서 바뀌었다.
👧 권력을 가진 사람이 자기에게 유리한 방식을 선택하기 위해 바꾼 경우도 있고, 국민들의 요구에 의해 바뀐 경우도 있다.

❸ 👦 이승만 대통령을 만나 보고 싶다. 우리나라의 초대 대통령직을 맡게 되면서 어떤 계획이 있었는지 물어보고 싶기 때문이다.
👧 김대중 대통령을 만나 보고 싶다. 노벨평화상을 수상한 기분을 묻고 싶고, 돌아가실 때 무엇이 가장 먼저 떠올랐는지 물어보고 싶다.

생각 두 걸음
생각책 177~179쪽

[😊 👧] 표시는 이 책으로 공부한 어린이들이 실제로 쓴 답안 중에서 적절한 것을 골라 실은 것입니다. 만약 지금 문제를 풀고 있는 어린이가 다소 다른 대답을 하더라도 문항의 핵심을 충분히 이해했다면 어린이의 다양한 생각을 존중해 주세요.

2 ❶❸

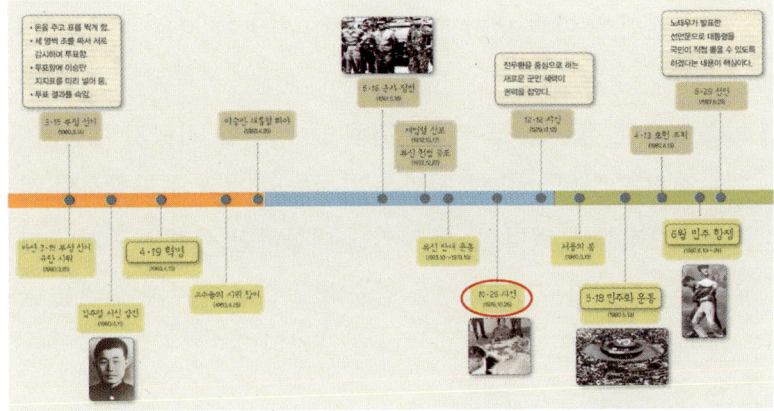

❷ 😊 1960년 3월 15일에 실시된 부정 선거에 항의하는 시위가 전국적으로 일어났다. 마산에서 시위 중 사망한 고교생 김주열 군이 최루탄이 얼굴에 박힌 채 마산 앞바다에 떠오르자 이에 격분한 전 국민이 시위에 참가했다. 4월 19일에 서울의 대학생, 중고등학생, 시민 약 10만 명이 모여 시위를 했고, 많은 사람들이 총에 맞아 다치고 죽었다. 4월 26일에 이승만은 대통령직에서 물러나고 12년 동안의 독재 정치는 막을 내렸다.

❹ 👧 정당한 방법으로 정부가 성립된 것이 아니기 때문에 민주주의가 실종됐다고 생각했을 것이다.
👦 군사 정권이 끝나자마자 또 군사 정권이 들어서니 황당하고 어쩔 수 없구나 하고 체념하기도 했을 것이다.

👩 군사 정권이 혼란스러운 사회 질서를 바로잡을 것이라고 생각했을 것이다.
❺ 😊 민주주의가 얼마나 소중한 것인지에 대한 깨달음을 얻었을 것이다.
👩 개인의 힘은 작아도 여럿이 힘을 합치면 큰 힘이 될 수 있다는 것을 깨달았을 것이다.

깊이 생각하기
생각책 **180~181**쪽

1 😊 국민의 힘으로 민주주의를 이뤄 냈기 때문이다. 이승만 정권은 부정과 부패를 일삼고, 정권을 지키기 위해 부정 선거까지도 저질렀다. 남녀노소가 하나가 되어서 부패한 정권을 끌어내렸고, 민주주의 정신을 이뤄 냈기 때문에 4·19 혁명이 높은 평가를 받는 것이다.

👩 부패한 정권을 몰아내기 위해 큰 희생을 치렀기 때문이다. 독재 정치를 하던 이승만 정권은 자신들의 정권에 저항하던 사람들을 힘으로 억눌렀다. 독재 정권에 대항하던 사람은 죽거나 다치거나 구속되었다. 그런 희생을 감수하고 결국에 부패 정권을 몰아냈기 때문에 높은 평가를 받는다고 생각한다.

2 👦 👩

교육	- 사람은 남녀노소 모두 평등하게 교육을 받을 권리가 있다. - 선생님은 학생에게, 학생은 선생님에게 인격적으로 존중을 받아야 한다.
종교	- 누구나 믿고 싶은 종교를 믿을 자유가 있다. - 특정한 종교를 믿으라고 강요받지 않을 권리가 있다.
문화	- 표현의 자유가 보장되어야 한다. - 문화적 다양성을 인정해야 한다.

3 😊 **민주주의란** 정의를 지키려고 애썼던 사람들이 남겨 준 위대한 유산이다. **왜냐하면** 민주주의를 지키기 위해 불의에 맞서 싸우고 희생한 분들이 계셨기에 우리가 민주주의 사회에서 살 수 있기 **때문이다.**

👩 **민주주의란** 공기이다. **왜냐하면** 공기 없이는 숨을 쉴 수가 없고 목숨을 유지할 수 없듯이, 국민이 주인이 되는 민주주의가 없다면 인

간답게 살아갈 수 없기 **때문이다.**

내 주장:	정치적 표현의 수단으로 폭력은 정당하다.
서론	정치적 표현의 수단으로 폭력은 정당하다고 생각한다.
본론	비폭력 시위가 성공한 예를 거의 본적이 없기 때문에 폭력도 정치적 표현 수단이 될 수 있다. 간디의 비폭력 시위를 예를 들며 반박할 수 있을 것이다. 하지만 그러한 성공은 매우 드물다. 그러므로 일상생활에서 폭력을 쓰는 것은 잘못된 일이지만, 정치적 표현 수단으로서의 폭력은 정당할 수 있다.
결론	국가가 시민들의 말을 잘 들어주지 않을 때 무조건 비폭력 시위만 하는 것에 반대한다.

생각 펼치기
생각책 182~183쪽

이 책으로 공부한 어린이들의 실제 답안을 그대로 실었습니다. 어린이들의 다양한 생각과 관심을 파악할 수 있을 것입니다.

논술하기

　세계 역사에서 많은 정치적 표현이 있었습니다. 그중에는 폭력을 수단으로 표현한 적도 있었고, 비폭력을 수단으로 표현한 적도 있었습니다. 일상생활에서 우리는 폭력을 쓰면 안 된다고 배웠기 때문에 정치적 표현 수단으로 폭력은 정당하지 않다고 생각하는 사람들도 있겠지만, 저는 정치적 표현 수단으로 폭력은 정당하다고 생각합니다.

　먼저, 언제나 비폭력 시위가 성공하는 것이 아니라는 것을 주장하고 싶습니다. 우리가 알고 있는 비폭력 시위 중 성공한 것이 있습니까? 그만큼 비폭력 시위가 성공하는 일은 아주 드뭅니다. 그러므로 폭력도 정치적 표현 수단으로 정당합니다.

　둘째, 국가가 언제나 국민의 말을 잘 들어주는 것은 아닙니다. 정부가 시민들의 평화 시위를 무시하는 경우도 있었다고 생각합니다. 그럴 때 국민이 정치적 표현 수단으로 폭력을 택하게 됩니다.

　물론 폭력 시위만 성공하는 것은 아닙니다. 간디의 비폭력 시위처럼 폭력을 사용하지 않고도 성공한 시위도 있습니다. 간디는 강력한 진압에도 불구하고 비폭력 저항을 했고, 인도를 독립시켰습니다. 하지만 간디의 시위 말고 기억나는 성공한 평화 시위가 있습니까?

　또한, 남이 자신의 말을 들어주지 않는다고 해서 폭력을 쓰는 것을 비이성적이라고 생각할 수 있습니다. 우리는 유치원이나 학교에서 인간은 생각하고 행동하는 존재라고 배웁니다. 그러므로 자신의 말을 무시한다고 해서 폭력을 쓰는 것이 정당하지 않다고 생각할 수 있습니다. 그러나 일상생활 속에서 폭력을 쓰는 것은 잘못된 일이지만, 정치적 표현 수단으로는 폭력이 더 정당할 수 있습니다. 생활 속에서 일어나는 문제점은 사소한 일이 될 수 있지만, 정치적 문제점은 우리가 평생 겪으며 살아야 할 생활 방식일지도 모르기 때문입니다. 경찰들이 강력하게 진압하는 것을 당하고만 있는 것보다 폭력을 사용하는 것도 정치적 표현 수단으로써 정당하다고 생각합니다.

비폭력 시위가 성공하는 경우는 드물고, 정부가 국민의 말에 귀 기울이지 않을 때도 있으므로 무조건 비폭력 수단만 사용하자는 의견에 반대합니다.

[해원초5 윤예원]

내 주장: 정치적 표현의 수단으로 폭력을 행사하면 안 된다.

서론	아무리 어렵고 힘든 문제라도 몸으로 맞설 것이 아니라 말로 해결해야 한다.
본론	정치적 문제를 폭력으로 해결하면, 군인과 시민 모두 피해를 보게 된다. 이러한 싸움은 더 큰 화를 부르고, 서로에게 앙금만 생길 뿐이다. 또 폭력이 일어나는 과정 속에서 막대한 경제적인 피해가 발생하게 된다. 폭력 외에는 방법이 없다고 주장하는 사람도 있을 것이다. 하지만 역사 속에서 정부와 국민의 폭력이 어떤 결과를 가져왔는지 돌이켜 본다면 그런 주장을 계속할 수 없다.
결론	정치적 문제가 생겼을 때 국가와 국민은 말로 해결해야만 국가와 국민이 함께 어우러지는 대한민국이 될 수 있다.

논술하기

정치적 표현의 수단으로 국가가 시민들에게 폭력으로 제압하거나 국민들이 폭력을 휘두르는 일은 정당하지 않다고 생각한다. 아무리 어렵고 힘든 문제라도 몸으로 맞설 것이 아니라 말로 풀어서 해결해야 한다.

먼저 국가가 시위하는 국민들에게 총을 쏘고 최루탄을 퍼부으면서 국민들을 제압한다면 많은 수의 국민들이 죽게 된다. 많은 사람들이 다치고 중상을 입고 마음의 상처까지도 입어 몸과 마음이 병들어 간다. 하지만 이 결과는 더 많은 시민들의 화를 돋우고 더 큰일로 번지게 된다. 6월 민주화 항쟁 때 이한열이 최루탄 파편에 맞아 죽자 더 많은 사람들이 들고일어나 국가와 맞서 싸우게 되었듯이 더 많은 사람이 항쟁에 뛰어들게 된다. 시민들이 총을 쏘기도 하고 잡다한 것들을 던지며 항의하기도 한다. 그 결과 시민들도 많이 죽었지만 시민들을 제압하던 군인들도 많은 피해를 보게 되었다. 이러한 싸움은 서로에게 좋을 것이 없다. 서로서로 화만 나고 앙금만 생길뿐이다.

또한, 이 작은 전쟁은 많은 무기들과 군인들을 쓰게 된다. 국가에서는 어떻게든 시위자들을 제압하려고 하면서 국가는 군사력에 돈을 소비하게 된다. 그러다 보면 막상 나중에 진짜 큰 전쟁이 일어났을 때에는 군사력이 모자라게 될 수도 있다. 이러한 항쟁 때문에 많은 군인과 무기, 돈을 쓰게 되고 그 사태를 복구하기 위해서는 또 돈이 들게 된다. 예를 들어 부서진 집들, 건물들과 도로 곳곳에 생긴 총알 자국들을 다시 원래 상태로 복구하려면 돈이 들기도 한다. 결국 폭력 사태 때문에 많은 돈을 소비하게 된다.

국가가 국민의 말에 귀 기울이지 않고, 제멋대로 할 때는 어쩔 수 없이 폭력 시위를 할 수 밖에 없다고 할 수도 있다. 하지만 우리의 역사 속에서 폭력 시위가 어떤 결과를 가져왔는지 다시 한 번 생각해 본다면, 꼭 폭력 시위만이 정답이라고 말할 수는 없다. 또한 정부가 국민을 폭력적으로 누르려고 했을 때 어떤 결과를 가져왔는지 역사를 돌이켜 본다면, 정부 역시 폭력으로 국민을 억압하는 행동을 해서는 안 된다.

이런 갖가지 이유들 때문에 정치적 표현의 수단으로 폭력을 행사하면 안 된다. 어떤 문제가 생겼을 때 국가와 국민은 말로 해결해 가야 할 것이다. 말로 해결하려 하지 않고 서로가 의견을 무시한다면 이건 큰 사회적 문제라고 생각한다. 국가와 국민들이 함께 어우러지며 살아가는 대한민국, 세계가 되어야 한다.

[강동초6 백승민]

역사와 뛰놀기
생각책 184쪽

[일월초5 우진식]   [일월초5 강예린]   [일월초5 김선우]

통일을 위한 만남

2000년

17

학습 목표
1. 북한의 생활 모습을 알아본다.
2. 통일을 위한 노력을 알아본다.
3. 나만의 타임캡슐을 만들어 본다.

생각 한 걸음
생각책 188쪽

1. 소학교(인민학교에서 명칭 변경) (한국사 편지 5권 276쪽 참고)
2. 소년단 (한국사 편지 5권 276쪽 참고)
3. 분단 (한국사 편지 5권 280쪽 참고)
4. 흡수 통일 (한국사 편지 5권 281쪽 참고)
5. 문화어 (한국사 편지 5권 282쪽 참고)
6. 비무장 지대(DMZ) (한국사 편지 5권 287쪽 참고)

7 외세의 간섭 없이 자주적, 평화적으로 통일을 이룰 것이며 서로 사상은 다를지라도 같은 민족으로서 하나가 되자. (한국사 편지 5권 288쪽 참고)

---

1 ❶ 😃 ㉠새해 복 많이 받으세요. ㉡너무 배고파!
❷ 👧 ㉢멋진 교복 입고, 예쁜 꽃도 다니 최고가 된 기분이야.
㉣친구들이랑 놀고 싶은데, 일도 도우려니 정말 힘들다.
❸ 👦 어릴 때부터 김일성과 김정일을 신처럼 특별한 사람이라고 교육시켜야 자신들 마음대로 할 수 있기 때문에 학교에서 가르치는 것 같다.
👧 북한에서는 김일성, 김정일과 공산주의를 매우 중요하게 여기기 때문에 열심히 교육시킨다고 생각한다.

2 ❶❷ 62세(2015년 기준)

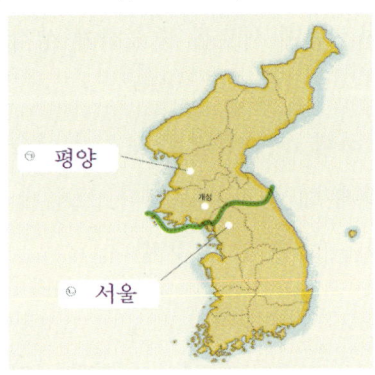

❸ 👦 남한과 북한이 정전 상태이기 때문에 언제 다시 일어날지 모르는 전쟁에 대비해서 많은 군인이 필요하다.
👧 한쪽이 군인 수를 늘리면 경쟁적으로 따라 늘렸기 때문이다.

❹ 👦 한반도의 평화와 전쟁은 남북한 뿐만 아니라 우리 주변의 다른 나라에도 큰 영향을 미칠 수 있기 때문이다.
👧 이 나라들이 문제 해결에 깊은 이해관계를 갖고 있기 때문이다.
👦 남한과 북한은 사이가 어색하기 때문에 둘만 만나서 의논하기 힘들기 때문에 서로 친한 나라들과 함께 만난다고 생각한다.

❺ 👧 이산가족 중 나이가 많으신 분들이 거의 돌아가시고 살아 있는 사람이 점점 줄어들기 때문에 헤어진 가족을 만나지 못하고 돌아가실 것 같아 안타깝다.
👦 이산가족들이 너무 늙어 다 돌아가시면 사람들이 더 이상 이

생각 두 걸음
생각책 189~192쪽

[😃 👧] 표시는 이 책으로 공부한 어린이들이 실제로 쓴 답안 중에서 적절한 것을 골라 실은 것입니다. 만약 지금 문제를 풀고 있는 어린이가 다소 다른 대답을 하더라도 문항의 핵심을 충분히 이해했다면 어린이의 다양한 생각을 존중해 주세요.

산가족 문제에 대해 관심을 갖지 않을 것 같다.

3 ❶

❷ 😊 정치적인 교류가 가장 중요하다고 생각한다. 서로 적으로 생각하고 정치를 하는 사람들이 담을 쌓으면 분위기가 험악해진다. 평화적인 분위기가 이루어져야 통일을 하기 쉽기 때문이다.
😊 경제적으로 서로에게 이익이 되는 것이 가장 중요할 것 같다. 일단 서로에게 이익이 된다면 사람들은 더 적극적으로 교류하려고 할 것이다. 그러면 자연스럽게 서로를 중요하게 생각하지 않을까?
😊 문화적인 교류가 가장 중요하다. 왜냐하면 스포츠나 예술은 사람들을 즐겁게 해 주고 가깝게 해 주기 때문이다. 그렇게 되면 자연스럽게 서로 한 민족임을 알 수 있을 것 같다.

깊이 생각하기
생각책 **193**쪽

1 😊 **북한 어린이:** 월드컵이나 스포츠 경기를 할 때 남한에서도 북한을 응원해 주니?
남한 어린이: 물론이야. 다른 나라보다 같은 민족이라는 느낌이 들기 때문에 난 북한이 이기기를 바라고 응원해.
😊 **북한 어린이:** 남한에서는 학교 공부뿐 아니라 매일매일 학원에 다닌다는데 그렇게 공부 많이 하면 언제 놀아?
남한 어린이: 솔직히 많이 힘들어. 그런데 밖에서 놀지는 못해도 휴대폰으로 게임을 하니까 틈틈이 비는 시간에 놀 수 있어.

2 😊 통일이 되었을 때 서로가 다른 민족처럼 느껴지지 않도록 서로에 대한 이해와 배려를 갖는 것이 중요하다. 통일된 다른 나라들을

보면, 통일 이후 지역 간의 갈등 때문에 감정적인 문제가 많았다고 한다. 미리 하나라는 믿음을 가지고 서로가 다름을 이해하려고 노력하려는 마음이 필요하다.

👩 통일 비용을 준비해야 한다. 통일을 하면 남북한이 비슷한 생활환경을 유지하기 위해서 돈이 많이 들 것이다. 그때 사용할 돈을 미리 준비해 두어야 한다.

👦 국어대사전이 필요하다. 남한과 북한의 말이 조금씩 다르다. 그렇게 때문에 서로 의사소통이 잘 되기 위해서는 남한어, 북한어를 잘 정리해 놓은 국어대사전이 필요하다. 의사소통이 정확히 돼야 서로 오해가 생기지 않을 것이다.

3 👧 통일이 되면 인구가 많아지고 북한의 많은 자원들도 활용할 수 있어서 경제적으로 도움이 많이 될 것 같다. 그래서 통일은 필요하다고 생각한다.

👦 서로 체제가 너무 다르기 때문에 솔직히 겁나고 걱정된다. 마음은 통일이 이루어져야 한다고 생각하는데 실제로 통일이 이루어질지는 잘 모르겠다.

👩 통일이 꼭 되지 않더라도 자유롭게 오고 갈 수 있었으면 좋겠다. 서울에서 기차를 타고 북한을 지나, 중국, 러시아, 유럽까지 꼭 가보고 싶다. 기차가 다 연결되면 우리나라에 더 많은 관광객이 올 수도 있고, 우리나라 사람들도 더 쉽게 다른 나라를 경험할 수 있게 되어 좋을 것 같다.

우리나라는 지난주에 통일이 되었다. 나라 전체가 아직 적응 중이다. 오늘 있었던 일이다. 우리 반에 처음 보는 남학생과 여학생이 있었다. 나는 그 둘이 우리 반에 전학을 왔다는 것을 추측할 수 있었다. 그런데 놀라운 사실은 북한 사람이라는 것. 아침부터 시끄러웠던 우리 반이 조용한 이유를 알 것 같았다.

국어 시간에 돌아가며 책을 소리 내어 읽는 시간이 있었는데, 북한 남학생의 발음이 우리와 달라서 좀 놀랐다. 나는 그 친구가 부끄러워

생각 펼치기
생각책 194쪽

이 책으로 공부한 어린이들의 실제 답안을 그대로 실었습니다. 어린이들의 다양한 생각과 관심을 파악할 수 있을 것입니다.

할까 봐 웃음이 나와도 꾹 참았는데, 장난꾸러기 내 짝과 몇몇 아이들은 킥킥거리며 웃었다.

학교가 끝나고 집에 오니 엄마가 뉴스를 보고 있었다. '새로운 대통령 선거, 그 후보자들은?'이라는 제목의 뉴스였다. 나는 속으로 생각했다. '통일이 좋은 것만은 아니구나. 통일이 되고 나서도 힘든 거구나.' 내가 나라의 일에 이렇게 골똘히 생각해 본 적은 없었다.

우리나라는 통일이 되었지만 몇 십 년 동안 다른 환경에서 살아온 남한과 북한이 단번에 마음이 통일되기는 쉽지 않을 것이다. 어른들과 아이들이 서로 사이좋게 잘 지내서 통일된 우리나라가 더 행복해졌으면 좋겠다.

[대화초5 이승민]

2026년 8월 15일. 오늘 우리나라가 통일이 된 지 1년이 되는 날이다. 1년 전 광복 80주년을 맞아 우리나라는 통일이 되었다.

작년 오늘, 난 대학교 친구들과 같이 태극기를 손에 들고 만세를 부르기 위해 광화문 광장에 갔다. 많은 사람들이 태극기를 들고 모였고, 우리는 밤새도록 신나게 축제를 즐겼다.

하지만 모두 좋은 것만은 아니었다. 남북한은 경제적 차이가 커 남한 사람들이 더 많은 세금을 내야 했다. 남한의 경제까지 안 좋아져 통일이 괜히 됐다는 후회도 있었다. 또 북한의 정치 지도자들과 남한의 정치 지도자들 사이에 대립도 있었다.

그런데 1년이 지난 지금 많은 것이 좋아졌다. 북한에 있는 풍부한 지하자원이 개발되고 있고, 석유가 엄청나게 묻혀 있는 곳도 찾았다. 세금 부담도 줄어들고, 일자리도 많아져서 불만이 있던 사람들도 이젠 많이 줄어들었다.

난 대학교를 졸업하면 북한의 관광 자원을 개발하는 회사에서 일을 하고 싶다. 남한에서 북한을 거쳐 중국, 러시아, 유럽까지 가는 관광 코스를 개발할 것이다. 어렸을 때부터 꿈꿔 오던 기차로 세계 여행!

통일이 되니 내 꿈도 이루어지는구나.

[일월초6 유서은]

[활동 자료1] 3단원 생각두걸음 2번 문제 (생각책 035쪽)

안중근 스티커

하얼빈 역　　　뤼순 법원　　　안중근과 의거를 함께한 동지들　　　안중근이 수감되었던
　　　　　　　　　　　　　　　(우덕순, 조도선, 유동하)　　　　뤼순 감옥의 내부

[활동 자료2] 8단원 생각두걸음 1번 문제 (생각책 089쪽)

신채호 스티커

我와 非我의 투쟁　　　민족주의 역사관

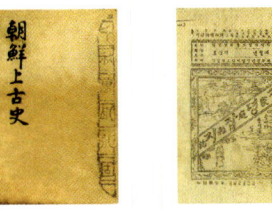   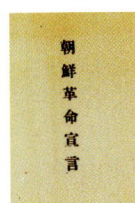   

《조선상고사》　《가명잡지》　《조선사연구초》　〈조선혁명선언〉　《동사강목》　〈황성신문〉　〈대한매일신보〉

뤼순 감옥　상하이 임시 정부　김원봉　이승만　김구　부인 박자혜

신채호의 묘　신채호 생가　신채호 사당　신채호가 체포된　광개토 대왕릉비
　　　　　　　　　　　　　　　　　　대만 지룽 항(1900년대)

[활동 자료3] 12단원 생각두걸음 2번 문제 (생각책 130쪽)

참가국 스티커

미국　　미국　　미국　　미국　　영국　　영국

영국　　영국　　소련　　소련　　중화민국　중화민국

[활동 자료4] 10단원 생각 두걸음 1번 문제 (생각책 109쪽)

일제 강점기 스티커

[활동 자료5] 16단원 생각 두걸음 2번 문제 (생각책 178~179쪽)

민주화 스티커

- 6월 민주 항쟁
- 4·19 혁명
- 5·18 민주화 운동

이한열

김주열

전남 도청

- 전두환을 중심으로 하는 새로운 군인 세력이 권력을 잡았다.

- 노태우가 발표한 선언문으로 대통령을 국민이 직접 뽑을 수 있도록 하겠다는 내용이 핵심이다.

- 돈을 주고 표를 찍게 함.
- 세 명씩 조를 짜서 서로 감시하며 투표함.
- 투표함에 이승만 지지표를 미리 넣어 둠.
- 투표 결과를 속임.

[활동 자료6] 17단원 생각 두걸음 3번 문제 (생각책 192쪽)

남북 교류 스티커

개성공단 설립

만월대 남북 공동 발굴

이산가족 상봉

10·4 남북 정상 회담

남북한 UN 동시 가입

대북 식량 지원

[활동 자료7] 1단원 역사와 뛰놀기 (생각책 018쪽)
을사조약과 한일 병합 게임 카드

을사조약과 한일 병합	을사조약과 한일 병합	을사조약과 한일 병합	을사조약과 한일 병합
고종	순종	박승환	이완용
을사조약과 한일 병합	을사조약과 한일 병합	을사조약과 한일 병합	을사조약과 한일 병합
영·일 동맹	이위종	헤이그 특사	식민지 교육
을사조약과 한일 병합	을사조약과 한일 병합	을사조약과 한일 병합	을사조약과 한일 병합
박제순	이상설	이토 히로부미	민영기

[활동 자료7] 1단원 역사와 뛰놀기 (생각책 018쪽)
을사조약과 한일 병합 게임 카드

을사조약과 한일 병합	을사조약과 한일 병합	을사조약과 한일 병합	을사조약과 한일 병합
카쓰라·태프트 밀약	이준	을사조약	1910년

을사조약과 한일 병합	을사조약과 한일 병합	을사조약과 한일 병합	을사조약과 한일 병합
이지용	조선 총독부	토지 조사 사업	권중현

을사조약과 한일 병합	을사조약과 한일 병합	을사조약과 한일 병합	을사조약과 한일 병합
이근택	한규설	한·일 병합 조약	1905년

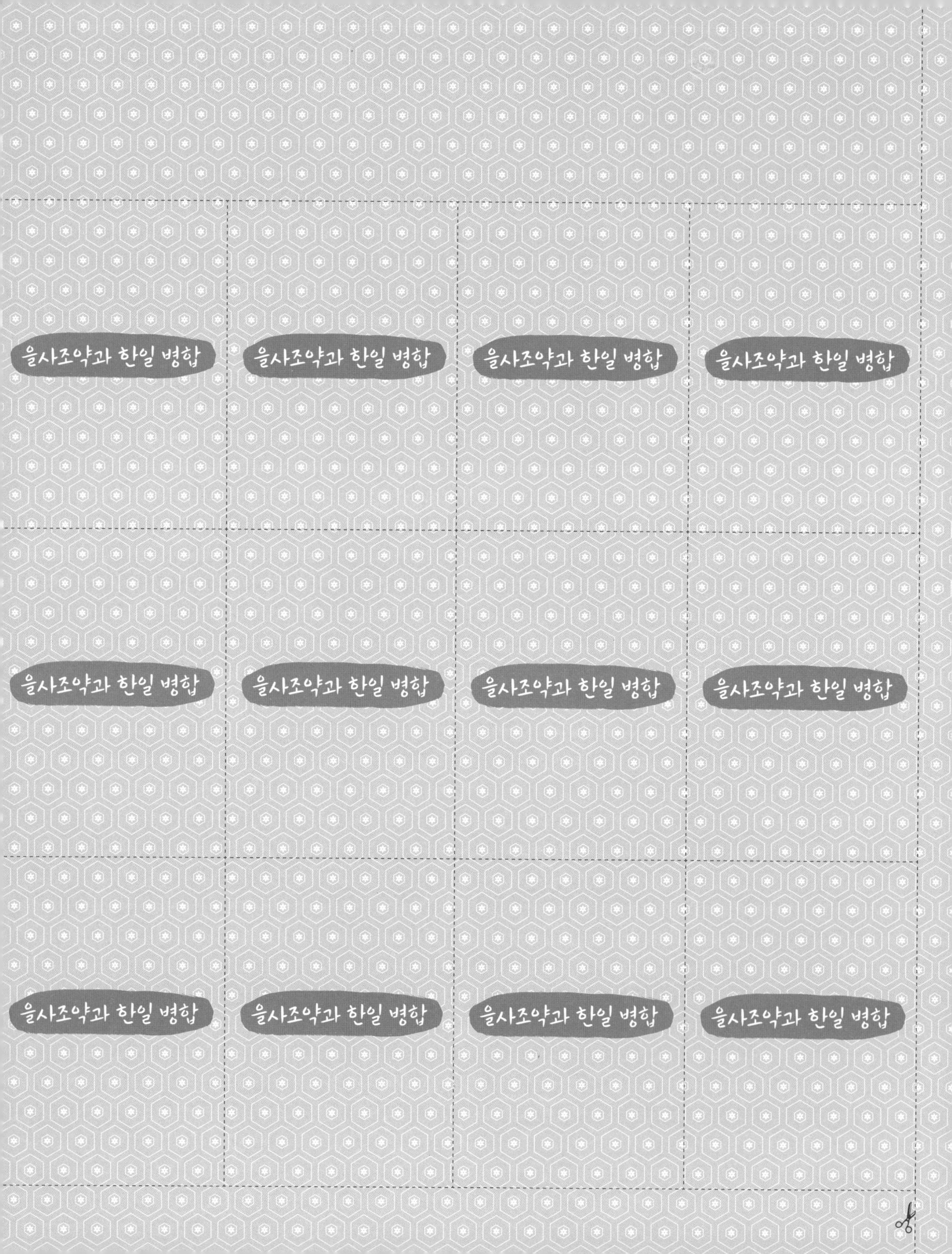

[활동 자료8] 15단원 역사와 뛰놀기 다문화 보드게임하기 (생각책 172쪽)

다문화 퀴즈 카드

다문화 퀴즈 카드 01

필리핀의 수도는 어디일까요?

다문화 퀴즈 카드 02

필리핀은 몇 개의 섬으로 이루어진 나라인가요?

다문화 퀴즈 카드 03

베트남의 수도는 어디일까요?

다문화 퀴즈 카드 04

베트남의 민속 의상은 무엇일까요?

다문화 퀴즈 카드 05

베트남의 3대 수출 품목은 무엇일까요?

다문화 퀴즈 카드 06

중국 진시황 때 북쪽 국경선을 지키기 위해 만든 성벽은 무엇인가요?

다문화 퀴즈 카드 07

중국의 3대 발명품을 말해 보세요.

다문화 퀴즈 카드 08

중국의 수도는 어디일까요?

다문화 퀴즈 카드 09

미국의 수도는 어디일까요?

다문화 퀴즈 카드 10

미국에서 가장 넓은 주로, 각종 지하자원이 풍부한 곳은 어디인가요?

다문화 퀴즈 카드 11

미국은 어느 대륙에 있나요?

다문화 퀴즈 카드 12

몽골의 수도는 어디일까요?

다문화 퀴즈 카드	다문화 퀴즈 카드	다문화 퀴즈 카드	다문화 퀴즈 카드
다문화 퀴즈 카드	다문화 퀴즈 카드	다문화 퀴즈 카드	다문화 퀴즈 카드
다문화 퀴즈 카드	다문화 퀴즈 카드	다문화 퀴즈 카드	다문화 퀴즈 카드

[활동 자료8] 15단원 역사와 뛰놀기 다문화 보드게임하기 (생각책 172쪽)

다문화 퀴즈 카드

다문화 퀴즈 카드 13

몽골 고원 내부에 펼쳐진 거대한 사막의 이름은 무엇일까요?

다문화 퀴즈 카드 14

일본의 수도는 어디일까요?

다문화 퀴즈 카드 15

우리나라 씨름과 비슷한 일본의 전통 운동 경기는 무엇일까요?

다문화 퀴즈 카드 16

일본에서 가장 높은 산으로, 꼭대기에 화산 분화구가 있는 산의 이름은 무엇일까요?

다문화 퀴즈 카드 17

타이의 수도는 어디일까요?

다문화 퀴즈 카드 18

타이 인구의 95%가 믿는 종교는 무엇일까요?

다문화 퀴즈 카드 19

캄보디아의 수도는 어디일까요?

다문화 퀴즈 카드 20

캄보디아에는 국왕이 있을까요?

다문화 퀴즈 카드 21

인도네시아의 수도는 어디일까요?

다문화 퀴즈 카드 22

인도네시아의 인구는 세계 몇 위일까요?

다문화 퀴즈 카드 23

우즈베키스탄은 어느 대륙에 있을까요?

다문화 퀴즈 카드 24

우즈베키스탄 국민의 대부분이 믿는 종교는 무엇일까요?

다문화 퀴즈 카드	다문화 퀴즈 카드	다문화 퀴즈 카드	다문화 퀴즈 카드
다문화 퀴즈 카드	다문화 퀴즈 카드	다문화 퀴즈 카드	다문화 퀴즈 카드
다문화 퀴즈 카드	다문화 퀴즈 카드	다문화 퀴즈 카드	다문화 퀴즈 카드

[활동 자료9] 8단원 생각 펼치기 역사와 뛰놀기 나만의 역사책 만들기 (생각책 093~094쪽)

역사책 만들기

고조선

고구려

백제

신라

[활동 자료9] 8단원 생각 펼치기 역사와 뛰놀기 나만의 역사책 만들기 (생각책 093~094쪽)

역사책 만들기

발해

고려

조선

[활동 자료10] 16단원 역사와 뛰놀기
민주주의 약속 나무 만들기 (생각책 184쪽)

나무 카드

는(은)

나는 민주주의 지킴이

[활동 자료11] 15단원 역사와 뛰놀기 다문화 보드게임하기 (생각책 172쪽)
게임판

[활동 자료12] 17단원 역사 공감하기 (생각책 196쪽)

내가 생각하는 '한국사 명장면'

스스로 생각하고 놀면서 공부하는 **5**
역사 워크북

한국사 편지
생각책

대한제국부터
남북 화해
시대까지

박은봉★생각샘 글
김중석 그림

책과함께어린이

이런 점이 특별해요!

《한국사 편지 생각책》은 《한국사 편지》를 기본 책으로 삼아 어린이들이 한국사를 보다 깊이 이해하고 다양한 생각을 펼칠 수 있게 돕는 워크북입니다.

외우는 역사가 아닌 느끼고 생각하는 역사를 구현

《한국사 편지 생각책》은 사건, 연도, 인물 이름을 얼마나 많이 외우고 있는지 시험하지 않습니다. 단편적인 암기식 학습을 지양하고 역사의 재미와 의미를 어린이 스스로 자연스럽게 체득할 수 있도록 이끌어 줍니다.

학습과 놀이가 균형 있게 통합된 워크북

《한국사 편지》에서 만난 역사 이야기를 토대로 풍부한 사진과 지도, 그림 등 다양한 자료를 활용하여 추론, 상상, 스토리텔링, 놀이를 함으로써 역사를 재미있고 생생하게 느끼고 생각하게 해 줍니다.

《한국사 편지》 저자와 공동 작업

《한국사 편지》 저자가 직접 참여해서 만든 유일한 워크북입니다. 《한국사 편지 생각책》의 모든 문제와 활동은 《한국사 편지》 저자 박은봉과 생각샘 선생님들이 함께 토론하여 만든 것입니다.

어린이 논술, 역사 지도를 하고 있는 선생님들의 현장 노하우

수년간 어린이들에게 역사·논술을 지도해 온 선생님들의 풍부한 경험이 응축되어 있습니다. 어린이들의 감성, 사고방식, 교육적 효과 등에 대한 축적된 노하우가 오롯이 담겨 있습니다.

필요한 활동 자료들을 한 권에 모두 수록

《한국사 편지 생각책》에는 만들기, 그리기, 게임하기, 스티커 붙이기 등 다양한 놀이 활동이 들어 있습니다. 그와 같은 활동에 필요한 자료를 한 권에 모두 수록해 놓았으므로 매우 편리합니다.

어린이들이 직접 참여한 현장감 넘치는 문항과 답안

모든 문항과 답안은 생각샘 선생님들과 함께 공부한 어린이들의 반응과 답변을 충실히 반영해서 만들었습니다. 초등학교 3학년부터 6학년에 이르는 어린이들과 직접 역사 수업을 하면서 실제 의견을 보고 들으며 질문의 눈높이나 단계의 구성을 조율하였고, 지침서를 구성하였습니다. 글쓰기와 만들기, 그림 그리기 등에서 발현된 아이들의 개성 있는 작품도 지침서에서 확인할 수 있습니다.

부모님과 선생님을 위한 꼼꼼한 지침서

지침서의 모든 답안은 《한국사 편지》의 내용과 어린이들의 실제 답안을 바탕으로 꼼꼼하게 정리해 만들었습니다. 어린이들의 창의적인 생각들을 폭넓게 실은 지침서는 자유롭게 문제를 풀고 생각하게 하되 답안의 적정한 범위를 어디까지로 보아야 할지 고민스러울 때, 부모님과 선생님을 위한 친절한 나침반이 되어 줍니다.

《한국사 편지 생각책》을 먼저 만나 본 친구들을 소개합니다!

(대화초5 이승민)

저는 고양시에 살고 있어요. 《한국사 편지 생각책》은 저에게 더없이 좋은 책이에요. 제가 이전에 배운 역사는 다 어지럽고 싫증이 났는데, 이 책은 이해하기 쉬웠어요. 책을 읽다 보면 제가 책 속으로 빠져들고 있는 것 같았어요. 그리고 저절로 누가 왜 그랬을까? 라는 호기심이 생겨났어요. 신기한 옛날 도구들은 만져 보고 싶었어요. 그 도구와 지금의 도구의 차이점과 공통점을 찾는 것도 재미있었어요. 만약에 제가 역사학자가 된다면 다 이 책 덕분이에요. 저에게 한국사 수업은 기분이 좋아지는 마법이 일어나는 시간이에요.

나는 웹툰 작가나 팬시 디자이너가 되고 싶어. 그림 그리는 것도 좋아하고, 평상시에 스토리가 많이 생각나거든. 그래서 나는 소설을 자주 읽고 그림도 자주 그려. 그런데 나는 역사가 나와는 멀다고 생각했어. 역사책이라고는 만화책만 봤지. 그러다 《한국사 편지 생각책》으로 수업을 하니 어쩔 수 없이 역사책을 보게 되었는데 《한국사 편지》도 《한국사 편지 생각책》도 정말 재밌더라. 내가 이렇게 역사에 관심이 많아진 건 《한국사 편지 생각책》 덕분이야. 참고로 나는 역사에 대한 웹툰도 그려 볼까 생각 중이야.

(한내초5 최아정)

(일월초5 강현수)

내 꿈은 곤충학자야. 내가 좋아하는 곤충 이름, 특징 등은 아무리 어려워도 잘 외워지고, 잊어버리지도 않는데 역사는 좀 달랐어. 어려운 단어도 많고, 외워야 할 것도 많고. 그래서 처음엔 역사를 싫어했지. 하지만 지금은 《한국사 편지 생각책》으로 역사 공부를 하면서 좀 달라졌어. 어렵던 단어, 이름들이 점점 가까워지더라고. 아직은 곤충이 1순위이지만 계속 공부하다 보면 역사가 더 좋아질 것 같아. 그럼 곤충의 역사를 공부해 볼까?

나는 놀기 좋아하는 활발한 소녀야. 난 역사에도 별로 관심이 없었어. 역사 얘기만 나오면 어쩔 줄 몰라 했는데 《한국사 편지 생각책》으로 공부를 한 후에는 역사가 재미있어지고, 사람들 앞에서 자신 있게 설명도 할 수 있게 되었지. 역사는 무조건 딱딱하고 재미없는 것이라는 편견을 버리고 한번 시작해 봐. 역사 공부의 환상 짝꿍! 《한국사 편지 생각책》이 너를 도와줄 거야.

(일월초5 유서은)

(일월초5 김선우)

안녕? 나는 요리하는 것과 만화책 읽는 것을 아주 좋아해. 그런데 엄마는 틈틈이 역사책을 읽으라고 하시지. 역사책도 만화책처럼 재미있다면 얼마나 좋아…. 이런 내가 《한국사 편지》를 읽으면서 역사가 궁금해지지 뭐야! 그래서 책도 열심히 읽고, 생각샘도 만나 역사 공부를 하며 역사의 재미에 푹 빠졌어. 역사는 알면 알수록 더 알고 싶은 게 많아지는 것 같아. 많은 친구들이 재밌고 맛있게 역사를 배웠으면 좋겠어. 나처럼 말이야.^^

여기 소개된 친구들 외에 강예린, 공윤배, 김근아, 김민, 김민형, 김병철, 김서진, 문휘현, 박예린, 백승민, 성동진, 안자연, 우진식, 윤예원, 윤정빈, 이현아, 정재윤, 최서영, 추민재, 편수혁 어린이도 참여했습니다.

이렇게 구성했어요!

프롤로그

그림 또는 간단한 글로 단원의 주제를 한눈에 보여 줍니다.
친구나 가족, 선생님과 함께 살펴보고 앞으로 생각하게 될
주제에 관해 이야기를 나눠 보세요.

생각 한 걸음

해당 단원의 핵심 내용을 충분히 숙지하고 있는지 간단히
되짚어 보고 점검하는 단계입니다. 《한국사 편지》를 읽어
보았거나 한국사를 공부하는 친구들이라면 쉽게 대답할
수 있는 간단한 질문들입니다.

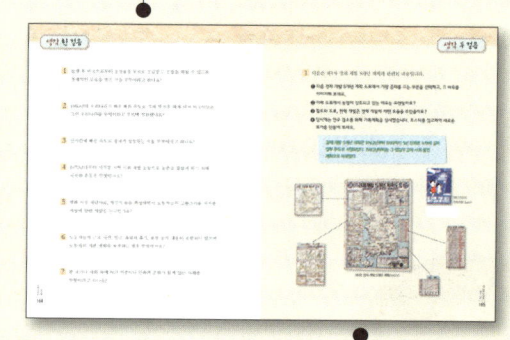

생각 두 걸음

유물과 유적, 지도 등 구체적인 시각 자료를 보며 역사를 입체적으로
이해하는 단계입니다. 지도를 활용해서 지리적인 위치를 파악하거나
유물과 유적을 살펴보며 그 시대의 상황을 유추해 볼 수 있습니다.

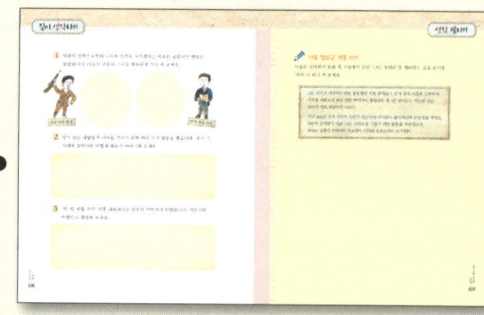

깊이 생각하기

역사적 사실에 대해 스스로 생각해 보는 단계입니다. 특정 시대의
사건, 제도, 상황을 살피며 앞뒤의 인과관계를 파악하고, 자신의
이야기로 재해석해 보기도 합니다.

생각 펼치기

역사적 사실에 대한 자신의 생각을 다양한 방식의 글로 써 보는 스토리텔링
단계입니다. 역사적 사실을 한 번 더 살피며 자신의 생각을 일기, 인터뷰,
편지, 시, 만화, 설명문, 논설문 등으로 정리해 표현해 봅니다.

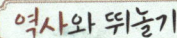
역사와 뛰놀기

다양한 활동과 놀이를 통해 역사 인식을 체화하는 단계입니다.
만들기와 그리기, 보드게임 등 흥미진진한 놀이가 기다리고 있습니다.

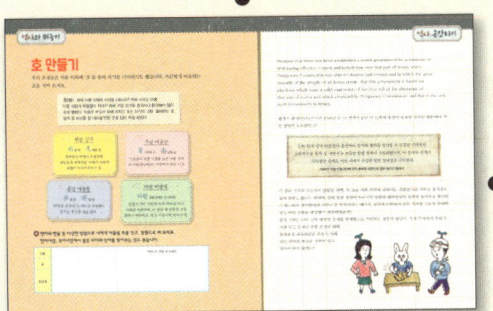

역사 공감하기

사고력과 공감력을 확장시키는 단계입니다.
가벼운 마음으로 읽어 보면서 단원을 마무리하고 과거, 현재, 미래를 생각해 봅니다.

활동 자료

각 단원에 필요한 자료입니다.
해당 자료의 번호와 페이지를 확인해서 바로 오려 활용하세요.

지침서

어떤 답변이 나올 수 있는지 확인할 수 있는 지침서입니다.
책의 맨 뒤에 있으니 필요에 따라 분리해서 사용할 수 있습니다.

이렇게 활용해 보세요!

어린이들에게

- 《한국사 편지 생각책》은 《한국사 편지》를 옆에 놓고 함께 보면서 진행하면 더 쉽고 재미있어요.
- 《한국사 편지 생각책》을 시작하기 전에 먼저 《한국사 편지》의 해당 단원을 읽으세요.
- 색칠하거나 만드는 활동들이 있으므로 가까운 곳에 색연필, 사인펜, 가위, 풀 등을 준비해 주세요. 다양한 활동 자료는 혼자서도 활용할 수 있지만 친구나 가족과 함께 해도 재미있습니다.
- 지침서에는 《한국사 편지 생각책》을 먼저 공부한 어린이들의 다양한 답이 실려 있습니다. 문제를 푼 뒤 다른 어린이들의 생각을 살펴보는 것도 재미있습니다.

부모님과 선생님에게

- 부모님 또는 선생님이 어린이와 함께 《한국사 편지 생각책》을 읽으며 서로의 생각을 나눠 보세요. 역사적 사건이나 시대를 상상해 보는 질문은 정해진 답이 없을 수 있어요. 어린이들이 풍부한 상상력으로 다양하게 답할 수 있도록 유도해 주세요.
- 한 번에 너무 많은 양을 하다 보면 지치고 흥미가 떨어질 수 있어요. 어린이가 즐겁게 활동할 수 있는 범위 내에서 수업을 진행해 주세요.
- 지침서에는 각 단원의 학습목표를 표시했으니 지도시 참고해 주세요.

차례

머리말 박은봉 선생님의 이야기
생각샘 선생님들의 이야기
이런 점이 특별해요!
이렇게 구성했어요!

01
나라를 빼앗기다 010
- 생각 펼치기: 국권 수호에 필요한 것 선택하고 이유 쓰기
- 역사와 뛰놀기: 을사조약과 한일 병합 카드 게임하기

02
나라를 지키려는 몸부림 020
- 생각 펼치기: '13도 창의군' 격문 쓰기
- 역사와 뛰놀기: 한글 초성 게임하기

03
만주를 뒤흔든 구국의 총소리 030
- 생각 펼치기: '이토 히로부미 저격 사건'에 대한 신문 사설 쓰기
- 역사와 뛰놀기: 나의 좌우명 쓰고 손도장 찍기

04
이천만 동포여, 일어나거라! 042
- 생각 펼치기: 유관순 열사에게 편지 쓰기
- 역사와 뛰놀기: 서대문 형무소 역사관 답사하기

05
독립군의 두 별, 홍범도와 김좌진 052
- 생각 펼치기: 여성 독립 운동가 소개하는 글쓰기
- 역사와 뛰놀기: 독립군의 비밀 편지 쓰기

06
방정환과 '어린이날' 062
- 생각 펼치기: 방정환의 '어린 동무들에게' 바꿔 쓰기
- 역사와 뛰놀기: 기념일 포스터 그리기

07
관동 대학살과 연해주 강제 이주 074
- 생각 펼치기: 관동 대학살에 대한 탄원서 쓰기
- 역사와 뛰놀기: 한민족 축제 부채 만들기

08
근대 역사학의 아버지 신채호 086
- 생각 펼치기: 시대별로 한국사 정리하기
- 역사와 뛰놀기: 나만의 역사책 만들기

09
임시 정부의 밑거름이 된 이봉창과 윤봉길 096
- 생각 펼치기: 여덟 컷 만화 그리기
- 역사와 뛰놀기: 광복군 배지 만들기

10
세계를 놀라게 한 조선인들 106
- 생각 펼치기: 인터뷰하고 글 쓰기
- 역사와 뛰놀기: 월계관 만들기

11
끌려간 젊음과 비굴한 친일파 116
- 생각 펼치기: 애니메이션 보고 감상문 쓰기
- 역사와 뛰놀기: 시 낭송하기

12
해방, 그러나 남북으로 갈린 나라 126
- 생각 펼치기: 호외 쓰기
- 역사와 뛰놀기: 끝말잇기 게임하기

13
38선을 넘는 김구 138
- 생각 펼치기: 김구의 신년사 요약하기
- 역사와 뛰놀기: 호 만들기

14
민족을 둘로 가른 전쟁, 6·25 150
- 생각 펼치기: 독후 감상문 쓰기
- 역사와 뛰놀기: 노래 감상하기

15
경제 성장의 빛과 그늘 162
- 생각 펼치기: 논술문 쓰기1
- 역사와 뛰놀기: 다문화 보드게임하기

16
민주주의를 위하여 174
- 생각 펼치기: 논술문 쓰기2
- 역사와 뛰놀기: 민주주의 약속 나무 만들기

17
통일을 위한 만남 186
- 생각 펼치기: 통일이 된 후의 대한민국을 상상하여 글쓰기
- 역사와 뛰놀기: 타임캡슐 만들기

활동 자료

책 속 별책 지침서

01
나라를 빼앗기다

자, 이제 조선과 조선의 백성들은 어떻게 될까?

생각 한 걸음

1. 1905년 을사년에 일본이 대한제국의 외교권을 빼앗기 위해 강제로 맺은 조약은 무엇인가요?

2. 을사조약의 체결을 주도한 일본의 정치가이며, 헤이그 특사 사건을 빌미로 고종을 강제로 퇴위시킨 사람은 누구인가요?

3. 미국과 일본이 비밀리에 맺은 '카쓰라·태프트 밀약'에서 미국과 일본은 서로 어느 나라의 지배를 각각 인정해 주기로 했나요?

4. 일본이 군대 해산령을 내리자 스스로 목숨을 끊어 군인들의 봉기에 불을 지핀 사람은 누구인가요?

5. 한일 병합 후에 일본이 경복궁의 건물들을 헐어 내고 세운 것으로, 1945년 광복까지 35년간 조선의 식민 통치를 담당했던 일본 통치 기관의 이름은 무엇인가요?

6. 대한제국의 통치권을 일본에 넘긴다는 내용으로, 1910년 8월 29일 일본의 강압 아래 맺은 조약은 무엇인가요?

7. 일본이 '토지 조사령'이라는 법을 만들어 조선 농민들이 갖고 있는 토지를 모두 관청에 신고하게 한 일을 무엇이라고 하나요?

생각 두 걸음

1 다음은 러·일 전쟁과 관련된 지도입니다.

❶ 러·일 전쟁에서 승리한 나라에 동그라미 해 보세요.
❷ 러시아와 일본이 전쟁을 한 이유는 무엇인가요?
❸ 빈 곳에 각 조약을 맺은 나라 이름을 써 보세요.

2. 다음은 대한제국이 일본과 병합되기까지 일어난 여러 사건입니다.

❶ 일본이 을사조약을 맺기 전에 일으킨 전쟁과 대한제국의 지배를 인정받기 위해 미국, 영국과 맺은 조약을 빨간색으로 동그라미 해 보세요.

❷ 고종이 국권을 회복하기 위해, 만국 평화 회의에 특사로 보낸 사람들을 찾아 파란색으로 동그라미 해 보세요.

❸ 일본이 한일 병합을 하기 전에 대한제국의 군대를 먼저 해산한 이유는 무엇일까요?

깊이 생각하기

1 을사조약 후, 고종은 국권을 지키기 위해 많은 노력을 기울였지만 성공하지 못했습니다. 그 이유는 무엇일까요?

> • 각 지방에 밀지를 내려 의병 봉기를 지시함.
> • 1907년 헤이그 2차 만국 평화 회의에 특사를 파견함.
> • 적십자 조약, 헤이그 조약 같은 각종 국제 조약에 가입함.
> • 세계 여러 나라에 특사와 밀사를 보내 을사조약의 불법성을 알리려고 함.

2 조선이 국권을 빼앗기는 과정입니다. 어느 사건부터 식민지가 시작되었다고 할 수 있을지 자신의 생각을 이야기해 보세요.

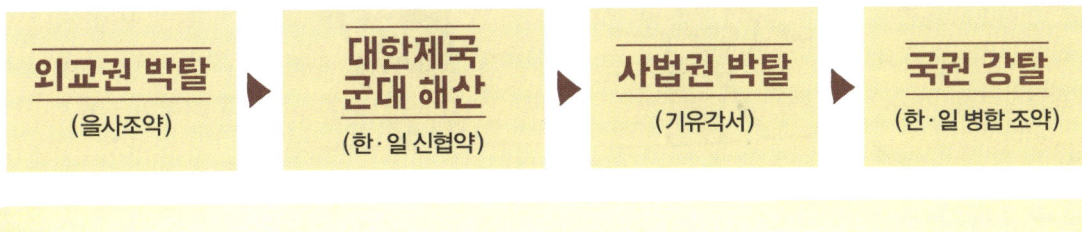

외교권 박탈 (을사조약) ▶ 대한제국 군대 해산 (한·일 신협약) ▶ 사법권 박탈 (기유각서) ▶ 국권 강탈 (한·일 병합 조약)

3 일본은 조선을 지배하기 위해 여러 법령을 제정·반포했습니다. 그 결과, 조선에는 어떤 일들이 일어났을까요?

생각 펼치기

✏️ 국권 수호에 필요한 것 선택하고 이유 쓰기

국권을 지키고 유지하기 위해 필요한 것들을 생각해 보고, 그중 가장 중요하다고 생각하는 것을 골라 그 이유를 설명하는 글을 쓰세요.

⭐ 국권을 지키고 유지하기 위해 필요하다고 생각하는 것들을 더 써 보세요.

외교력	자원	애국심	전통과 문화	영토, 영공, 영해

⭐ 위에서 국권을 수호하는 데 가장 중요하다고 생각하는 것 두 가지를 고르고, 선택한 이유를 쓰세요. 이유를 쓸 때는 예를 들어 자세하게 쓰세요.

역사와 뛰놀기

을사조약과
한일 병합 카드 게임하기

조선이 나라를 빼앗기고 식민지가 되기까지의 과정을
카드 게임을 통해 정리해 보세요.

준비물
을사조약과
한일 병합 카드
([활동 자료7] 활용)

방법

1. [활동 자료7]의 카드를 오리고 잘 섞어 2장은 바닥에 깔고 나머지는 가운데에 쌓아 놓으세요.
2. 가위, 바위, 보로 게임의 순서를 정하세요.
3. 이긴 사람부터 카드를 한 장씩 뒤집으세요.
4. 뒤집어서 나온 카드 한 장과 바닥에 깔린 카드 중 한 장을 골라 서로 관련된 내용을 이야기하고 카드를 가지고 오세요. 예) '고종' 카드가 깔려 있는 상태에서 '순종' 카드를 뒤집었을 경우 "고종과 순종은 부자지간이다."라고 두 카드의 관계를 설명하면 됩니다.
5. 만약 관련된 카드가 없거나, 관련된 내용을 설명하지 못하면 뒤집은 카드도 바닥에 깔아 놓으세요.
6. 쌓아 놓은 카드가 없어질 때까지 게임 순서대로 돌아가면서 진행하세요.
7. 가장 많은 카드를 가져온 사람이 게임에서 이깁니다.

역사 공감하기

네가 알고 있는 고종은 어떤 왕이니? 아버지 흥선 대원군의 기세와 부인 명성 황후의 치마폭에 싸여 제대로 힘 한번 못 써 보고 나라를 망하게 한 무능한 왕이라고? 어쩌면 그건 나라가 망했기 때문에 받게 된 싸늘한 시선일지도 몰라. 최근에는 고종 황제의 노력이 하나둘 알려지면서 새롭게 고종을 바라보는 사람도 있단다.

을사조약 후 영국의 일간지 〈트리뷴〉에는 기사와 함께 문서 한 장이 실렸어. 이 문서는 별도의 제목 없이 6개의 조항으로만 되어 있었지. 눈길을 끄는 것은 을사조약에는 찍혀 있지 않은 '대한국새'가 선명하게 찍혀 있다는 거야. 고종이 동의하지 않은 을사조약은 무효이며 통감부 설치도 인정할 수 없다는 강력한 주장이 담겨 있는 문서 한 장. 이 기사를 〈대한매일신보〉는 외신 보도로 받아 국내에 알렸다고 해. 그러니까 이 문서는 을사조약이 무효임을 국내외에 알린 최초의 문서라고 할 수 있어.

그밖에도 고종은 헐버트와 민영찬, 알렌 등을 미국에 파견하여 미국의 협조를 구하려고 노력했어. 일본을 만국 공판소에 제소하고, 미국과 유럽 여러 나라 원수들에게 친서를 보내기도 했지. 그러나 열강들의 무관심으로 원하는 결과를 얻지 못했어. 결국 고종은 1907년 일본에 의해 황제 자리에서 쫓겨나게 되었지.

고종은 무능하기만 한 왕이었을까? 여전히 고종에 대한 평가는 엇갈리고 있단다.

02
나라를 지키려는 몸부림

이제 나라를 지키지 못하게 되었으니, 내 어찌 살아갈 수 있겠소. 죽음으로 이 분노와 슬픔을 알리겠소.

무슨 소리를 하는 것이오. 지금은 의병을 모아 일본으로부터 나라를 지켜야 하오. 우리 모두 힘을 모아 일본을 조선에서 몰아냅시다.

일본에게 진 빚 때문에 나라가 망하는 것 같소. 돈을 모아서 빚부터 갚읍시다.

나라 빚은 갚자

백성들이 똑똑해져야 나라를 지킬 수 있소. 신문을 펴내고, 학교를 세웁시다.

외교권을 빼앗기고, 군대가 해산되고, 나라를 지탱해 주던 여러 힘들을 빼앗기고 있어. 이런 상황에서 조선 사람들은 나라를 지키기 위해 어떤 일을 했을까?

생각 한 걸음

1 양반 유생들이 의병을 일으킬 때 주장한 '위정척사'의 뜻은 무엇인가요?

2 지역마다 따로 활동하던 의병 부대를 하나로 모아 만든 연합 부대의 이름은 무엇인가요?

3 대마도에서 죽음을 맞이한 양반 의병장과 '태백산 호랑이'라는 별명을 가진 평민 의병장은 각각 누구인가요?

4 누구나 자유롭게 의견을 발표할 수 있는 토론장인 만민 공동회를 열고, 의회를 만들자는 운동을 벌인 단체는 무엇인가요?

5 나라를 구하기 위해 실력을 길러야 한다고 주장한 사람들은 학교를 세우고 신문과 잡지, 책을 발행했습니다. 이렇게 민족의 실력을 기르기 위해 펼친 활동을 무엇이라고 하나요?

6 〈독립신문〉, 〈제국신문〉 등 신문사에서 일했으며, 《국어문전음학》, 《국어문법》 등의 책을 써서 한글 발전에 큰 공을 세운 사람은 누구인가요?

7 일본에 진 빚을 국민이 힘을 모아 갚자고 주장하며 전국에서 일어난 운동은 무엇인가요?

2 다음은 애국 계몽 운동과 관련된 사진들입니다.

❶ 오산 학교와 대성 학교를 세운 사람의 이름을 빈칸에 써 넣으세요.
❷ 애국 계몽 운동가들은 왜 이 시기에 학교를 많이 세웠을까요?
❸ 이 시기의 학교들은 조선의 역사와 언어, 지리, 체육 교육을 강조했습니다. 그 이유는 무엇일까요?

평북 정주 오산 학교

평양 대성 학교

전국 도별 학교 수 (1910년 통계)

- 함경북도 ●7개 ◆57개
- 함경남도 ●14개 ◆189개
- 평안북도 ●10개 ◆367개
- 평안남도 ●11개 ◆417개
- 황해도 ●9개 ◆251개
- 강원도 ●9개 ◆37개
- 경기도 ●19개 ◆183개
- 충청북도 ●6개 ◆47개
- 한성 ●19개 ◆94개
- 충청남도 ●7개 ◆86개
- 경상북도 ●9개 ◆141개
- 전라북도 ●8개 ◆75개
- 경상남도 ●13개 ◆98개
- 전라남도 ●14개 ◆40개

● 관공립 학교
◆ 사립 학교

❹ 이 시기에 많은 종류의 신문이 발행되었습니다. 이유는 무엇일까요?

❺ 일본은 1910년에 대부분의 신문들을 강제로 폐간시켰습니다. 왜 그랬을까요?

〈독립신문〉
우리나라 최초의 민영 일간지. 한글판. 영문판.

〈제국신문〉
순 한글 신문. 하층민, 여성들이 주 독자였다.

〈황성신문〉
유학자들이 주 독자였고, 민족의식을 고취시켰다.

〈대한민보〉
대한 협회의 기관지. 친일 단체인 일진회에 대항하는 기사가 많이 실렸다.

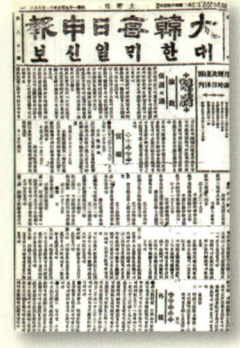
〈대한매일신보〉
유일하게 일본의 사전 검열을 받지 않았다. 한글판. 국한문판. 영어판. 발행 부수 1만 부 이상.

3 다음 사진과 그림을 참고하여 국채 보상 운동에 대해 설명해 보세요.

김광제

서상돈

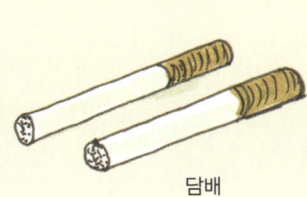
담배

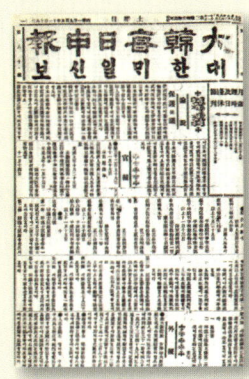
〈대한매일신보〉

가락지

국채 보상 운동에 참여하고 있는 사람들

양기탁

깊이 생각하기

1 일본의 침략으로부터 나라와 민족을 지키겠다는 마음은 같았지만 방법은 달랐습니다. 이들의 주장과 근거를 말풍선에 각각 써 보세요.

항일 의병 활동

애국 계몽 운동

2 당시 많은 사람들이 나라를 지키기 위해 여러 가지 활동을 했습니다. 내가 그 시대에 살았다면 어떻게 했을지 이야기해 보세요.

3 '한·일 병합 조약' 이후 대한제국은 일본의 식민지가 되었습니다. 식민지란 무엇인지 설명해 보세요.

생각 펼치기

 '13도 창의군' 격문 쓰기

서울로 진격하기 위해 각 지방에서 모인 '13도 창의군'을 격려하는 글을 군사장 '허위'가 되어 써 보세요.

> **13도 창의군** 지역마다 따로 활동했던 의병 부대들이 한데 뭉쳐 서울로 진격하여 나라를 되찾고자 만든 연합 부대이다. 총병력은 약 1만 명이었고, 해산된 군인 3000여 명도 포함되어 있었다.
>
> **허위** 1855년 경북 구미의 유학자 집안에서 태어났다. 을미사변과 단발령을 계기로 의병에 참여했다. 이후 '13도 창의군'을 이끌며 의병 활동을 계속했으나, 1908년 일본군 헌병에게 체포되어 서대문 형무소에서 순국했다.

역사와 뛰놀기

한글 초성 게임하기

한글을 사랑한 주시경의 뜻을 생각하며, 국어사전을 이용해 초성 게임을 해 보세요.

주시경은 최초의 사액 서원인 소수 서원을 세운 주세붕의 13대손이다. 나라를 보존하고 발전시키는 길은 자기 나라의 말과 글을 존중하여 사용하는 것이라고 생각하여 한글을 연구하고 문법을 정리하였다. 또한 한글 보급 활동을 통해 국권 회복을 위한 계몽 운동에 앞장섰다. 주시경의 뜻을 이어받아 최현배를 비롯한 제자들이 '조선어 연구회'를 만들었고 이것이 '조선어 학회'로 확대되었으며, 해방 후 '한글 학회'로 이어졌다. 한글 연구와 보급에 중요한 역할을 하였다.

준비물
A4 용지, 가위, 국어사전

방법
1. A4 용지에 다음과 같이 카드를 그리세요.

ㄱ	ㄴ	ㄷ	ㄹ	ㅁ	ㅂ	ㅅ
(기역)	(니은)	(디귿)	(리을)	(미음)	(비읍)	(시옷)
ㅇ	ㅈ	ㅊ	ㅋ	ㅌ	ㅍ	ㅎ
(이응)	(지읒)	(치읓)	(키읔)	(티읕)	(피읖)	(히읗)

2. 카드를 자른 후 각각 두 번씩 접고, 바닥에 흩뜨려 놓으세요.
3. 각자 2개의 카드를 뽑으세요.
4. 뽑은 카드의 자음이 초성이 되는 단어를 각자 국어사전에서 찾으세요.
5. 찾은 단어를 가장 빨리 외치고 그 뜻을 끝까지 다 읽은 사람이 이깁니다.

역사 공감하기

서울 양화진에 있는 외국인 묘역에 가 봤니? 이곳에는 우리나라를 위해 활동한 여러 외국인이 묻혀 있단다. 그중에 '배설'이라는 한국 이름을 가진 사람의 무덤이 있어.

1908년 6월 15일, 서울 주한 영국 총영사관에서는 특별한 재판이 열렸단다. 피고는 영국인 배설, 원고는 통감부 서기관 미우라였어. 재판관과 검사, 변호사는 모두 영국인이었지. 미우라는 당시 통감이었던 이토 히로부미를 대신하여 재판에 참여한 거야. 이 재판은 우리나라에서 열린 첫 국제 재판이었는데 재판이 진행되는 3일 동안 수많은 구경꾼이 모여들었다고 해.

일본은 배설이 사장으로 있는 신문을 없애려고 이 재판을 시작했단다. 이 신문은 외국인인 배설의 치외 법권을 방패 삼아 반일 기사를 마음껏 실었기 때문이야. 특히 한글뿐 아니라 영어로도 기사를 실었기 때문에 당시 조선의 억울한 상황을 외국에 알리는 역할을 톡톡히 했지.

이 신문이 얼마나 인기가 있었던지 다른 신문 모두를 합친 것보다 더 많이 팔렸다고 해. 이토 히로부미는 "수백 마디의 말보다 한 줄의 신문기사가 한국인에게 더 큰 위력을 가져다준다."며 이 신문을 눈엣가시처럼 여겼어.

재판의 결과는 어떻게 되었을까? 배설은 3주간 금고형이라는 유죄 판결을 받고 중국 상하이로 호송되었어. 그리고 형을 마치고 돌아왔지만 이듬해 5월 "나는 죽으나 '신보'는 영생케 하여 한국 동포를 구하라."는 유언을 남기고 심장병으로 세상을 떠났어. 이 사람의 본명은 '어니스트 베델'. 일본이 그토록 없애려고 한 신문은 〈대한매일신보〉란다.

베델은 조선의 독립을 위해 목숨을 바친 사람이야.

어니스트 베델

03
만주를 뒤흔든
구국의 총소리

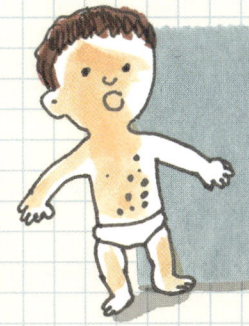
내 이름은 안응칠이야.
태어날 때 가슴과 배에 일곱 개의 점이 있어서 이름을 그렇게 지었다고 해. 북두칠성의 정기를 받고 태어났다며 부모님은 기뻐하셨지.

또 다른 나의 이름은 안중근이야.
너무 경망스럽게 다니지 말고 행동을 무겁게 하라는 뜻에서 지어진 이름이지. 하지만 친구들은 날 번개라고 부른단다. 내 행동이 얼마나 빠른지 알겠지.

사람들은 날 안도마라고 부르기도 해.
요셉(한국 이름 홍석구) 신부님에게 토마스라는 세례명으로 세례를 받았기 때문이지. 그 후 난 학교를 세우고, 국채 보상 운동도 하고, 의병 부대를 이끌고 항일 운동을 했지.

1909년 하얼빈 역에서 이토 히로부미를 향해 총을 쏜 나 안중근.
어머니께서 손수 만들어 보내 주신 명주 두루마기를 입고 사형대에 오르기를 기다리고 있어.

생각 한 걸음

1 을사조약을 강제로 맺는 데 주도적인 역할을 했으며, 안중근에게 저격을 당한 사람은 누구인가요?

2 시베리아 철도가 지나가는 곳으로, 안중근이 거사를 일으킨 기차역은 어디인가요?

3 나라에 필요한 인재를 키우기 위해서 안중근이 세운 초등학교와 중학교는 각각 무엇인가요?

4 안중근이 열한 명의 동지들과 손가락을 자르며 나라를 위해 몸 바칠 것을 맹세한 동맹을 무엇이라고 하나요?

5 감옥에서 안중근이 쓴 자서전의 제목은 무엇인가요?

6 을사오적을 처단하기 위해 결사대를 만들었으며 단군을 섬기는 대종교를 창시한 사람은 누구인가요?

7 황현이 고종 즉위 때부터 한일 병합까지 직접 보고 들은 것을 기록한 책의 제목은 무엇인가요?

생각 두 걸음

1 다음은 1904년 프랑스 신문 〈르 프티 파리지앵〉에 실렸던 러·일 전쟁 풍자화입니다.

❶ 러시아인, 일본인, 청나라인, 미국인을 찾아 어떤 생각을 하고 있을지 말풍선에 써 보세요.
❷ 러시아인과 일본인은 어느 나라 땅을 딛고 서 있나요?
❸ 러시아인은 크게, 일본인은 작게 그린 이유는 무엇일까요?
❹ 러·일 전쟁에서 많은 조선인이 일본을 지지했습니다. 그 이유는 무엇일까요?

2 다음은 안중근과 관련된 사진과 지도입니다.

❶ 안중근의 생각을 말풍선에 써 보세요.

내가 학교를 세운 이유는

안중근이 삼흥 학교, 돈의 학교를 세운 진남포 시가지

내가 단지 동맹을 맺은 이유는

《동양평화론》

《안응칠 역사》

단지 동맹 유지비 (러시아 크라스키노)

내가 《안응칠 역사》와 《동양평화론》을 쓴 이유는

깊이 생각하기

1 안중근은 일본의 재판관 앞에서 이토 히로부미를 저격한 15가지 이유를 밝혔다고 합니다. 아래의 이유 외에 어떤 것들이 더 있을까요?

15가지 이유 중 일부	내가 생각하는 이유
• 명성 황후를 시해한 것 • 고종 황제를 폐위시킨 것 • 조선의 교과서를 불태운 것 • 조선이 300만 파운드의 빚을 지게 한 것 • 일본과 세계를 속인 것	

2 다음은 나라를 위해 스스로 목숨을 끊어 항거한 사람들입니다. 이 사람들의 행동을 어떻게 생각하나요?

민영환
(고위 관리, 을사조약에 반대하여 자결)
"동포 형제들은 천만 배 더욱 분발하여 뜻을 굳게 하고 학문에 힘쓰며 한마음으로 힘을 다하여 우리의 자유 독립을 회복하면 죽어서라도 마땅히 저 세상에서 기뻐 웃으리라."

황현
(유생, 한·일 병합 조약에 반대하여 자결)
"국가에서 500년이나 선비를 길러 왔는데, 나라가 망할 때에 국난을 당하여 죽는 사람이 하나도 없다는 것이 어찌 원통치 않은가?"

박승환
(군인, 대한제국군 강제 해산에 반대하여 자결)
"군인으로서 나라를 지키지 못하고 신하로서 충성을 다하지 못하였으니, 만 번 죽은들 무엇이 아깝겠는가?"

이범진
(외교관, 한일 병합을 발표한 날에 러시아에서 자결)
"우리나라 대한제국은 망했습니다. 폐하는 모든 권력을 잃었습니다. 저는 적을 토벌할 수도, 복수할 수도 없는 이 상황에서 깊은 절망에 빠져 있습니다. 자결 외에 제가 할 수 있는 일이 없습니다."

3 안중근은 한국, 중국, 일본이 힘을 합쳐 서구 세력에 맞서고, 동양 평화를 이루자고 주장했습니다. 그리고 오늘날에도 많은 나라가 공동체를 만들었거나 만들려고 하고 있습니다. 세계 여러 나라는 왜 이런 공동체를 만들려고 할까요?

동남아시아 국가 연합(ASEAN) (1967~)
말레이시아, 싱가포르, 인도네시아, 필리핀, 타이 등 여러 나라가 동남아시아의 경제, 사회 각 분야에서 더 나은 생활 수준을 위해 협력하고 있다.

아시아 태평양 경제 협력체(APEC) (1989~)
한국, 일본, 중국, 미국, 캐나다, 멕시코, 호주 등 여러 나라가 협력하여 경제를 발전시키기 위해 함께 노력하고 있다.

유럽 연합(EU) (1993~)
프랑스, 영국, 독일, 에스파냐, 네덜란드 등 서유럽 여러 나라가 유럽 중앙은행을 설립하고, 화폐를 통일하고 유럽 의회를 만들어 함께 협력하고 있다.

생각 펼치기

✏️ '이토 히로부미 저격 사건'에 대한 신문 사설 쓰기

안중근의 이토 히로부미 저격 사건에 대해 자신의 생각을 사설로 써 보세요.

신문 사설: 신문에서 글쓴이의 주장이나 의견을 써내는 논설을 말한다. 현재 사회적으로 중요한 일이나 논쟁거리가 되는 사건을 주제로 삼는다.

이토 히로부미는 메이지 헌법의 초안을 작성하고, 양원제 의회를 확립하는 등 일본의 근대화를 이끈 인물로 평가된다. 또한 이토 히로부미는 아시아 침략에 앞장섰다. 조선에서는 을사조약을 강요하고 고종을 강제 퇴위시키는 등 조선의 식민지화를 주도했다. 1909년 중국 하얼빈에서 안중근에게 저격당해 죽었다.

⭐ 아래의 사설을 참고하여 신문 사설의 형식을 알아봅시다.

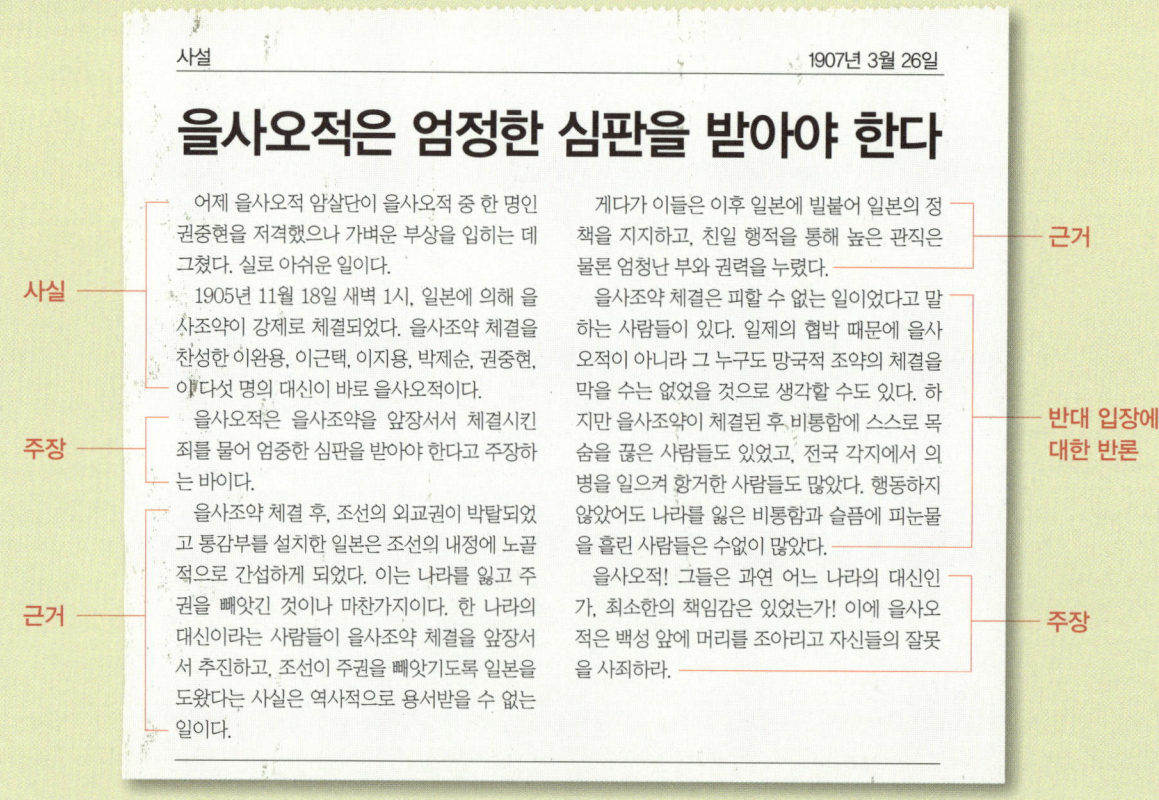

사설   1907년 3월 26일

을사오적은 엄정한 심판을 받아야 한다

[사실] 어제 을사오적 암살단이 을사오적 중 한 명인 권중현을 저격했으나 가벼운 부상을 입히는 데 그쳤다. 실로 아쉬운 일이다.
1905년 11월 18일 새벽 1시, 일본에 의해 을사조약이 강제로 체결되었다. 을사조약 체결을 찬성한 이완용, 이근택, 이지용, 박제순, 권중현, 이 다섯 명의 대신이 바로 을사오적이다.

[주장] 을사오적은 을사조약을 앞장서서 체결시킨 죄를 물어 엄중한 심판을 받아야 한다고 주장하는 바이다.

[근거] 을사조약 체결 후, 조선의 외교권이 박탈되었고 통감부를 설치한 일본은 조선의 내정에 노골적으로 간섭하게 되었다. 이는 나라를 잃고 주권을 빼앗긴 것이나 마찬가지이다. 한 나라의 대신이라는 사람들이 을사조약 체결을 앞장서서 추진하고, 조선이 주권을 빼앗기도록 일본을 도왔다는 사실은 역사적으로 용서받을 수 없는 일이다.

[근거] 게다가 이들은 이후 일본에 빌붙어 일본의 정책을 지지하고, 친일 행적을 통해 높은 관직은 물론 엄청난 부와 권력을 누렸다.

[반대 입장에 대한 반론] 을사조약 체결은 피할 수 없는 일이었다고 말하는 사람들이 있다. 일제의 협박 때문에 을사오적이 아니라 그 누구도 망국적 조약의 체결을 막을 수는 없었을 것으로 생각할 수도 있다. 하지만 을사조약이 체결된 후 비통함에 스스로 목숨을 끊은 사람들도 있었고, 전국 각지에서 의병을 일으켜 항거한 사람들도 많았다. 행동하지 않았어도 나라를 잃은 비통함과 슬픔에 피눈물을 흘린 사람들은 수없이 많았다.

[주장] 을사오적! 그들은 과연 어느 나라의 대신인가, 최소한의 책임감은 있었는가! 이에 을사오적은 백성 앞에 머리를 조아리고 자신들의 잘못을 사죄하라.

⭐ 안중근의 '이토 히로부미 저격 사건'의 사설을 쓰기 전에 간단하게 정리해 보세요.

사설의 제목	
이토 히로부미 저격 사건에 대한 사실	1909년 10월 26일 안중근이 러시아의 하얼빈 역에서 이토 히로부미를 저격했다.
나의 주장	
주장에 대한 근거	
반대 입장에 대한 반론	

⭐ 정리한 내용을 참고하여 사설을 써 보세요.

사설   1909년 10월 27일

제목

역사와 뛰놀기

나의 좌우명 쓰고 손도장 찍기

안중근 의사가 남긴 유묵을 보고 나의 좌우명을 생각해 보세요.
붓펜으로 좌우명을 쓰고 손도장도 찍어 보세요.

준비물
화선지(가로 30cm, 세로 20cm 정도), 붓펜, 검은색 물감, 접시

좌우명: 항상 자리 옆에 갖추어 두고 가르침으로 삼는 말이나 문구

안중근은 만주의 뤼순 감옥에서 수감 생활을 하는 동안 많은 글씨를 썼다. 그는 뛰어난 서예 솜씨로 자신을 심문하던 일본인 검찰관과 헌병에게 글씨를 써 주었다. 글씨의 내용은 격언이나 경전 구절, 자신의 심정이나 의지 등이었다. 그가 생전에 남긴 글씨나 그림(유묵)에는 국가와 민족에 대한 충성심과 애정, 기개가 잘 나타나 있다. 옥중에서 쓴 유묵은 여러 점이 보물로 지정되었다. 인장 대신에 손바닥에 먹물을 묻혀 장인(掌印)을 찍은 것이 특징이다.

역사 공감하기

1908년 3월 23일 미국의 샌프란시스코 페리 부두 정거장 앞에서 총성이 세 발 울렸어. 쓰러진 사람은 미국인 스티븐스. 한국 정부의 '외교 고문'이라는 직책으로 일본의 앞잡이 역할을 한 사람이야. 스티븐스는 공공연하게 일본의 식민 지배는 한국에 유리하다고 말했단다. 그런 그에게 총을 쏜 것은 장인환과 전명운 두 사람이었어.

스티븐스는 일본 외무성과 한국 통감부의 밀명을 받고 미국으로 가는 배 안에서 기자 회견을 했단다. 일본이 한국을 보호한 뒤로 한국은 더 좋아졌으며 일본이 한국 백성을 잘 다스리고 있다는 내용이었지. 이 기자 회견 내용을 전해 들은 한인 동포들은 분개했단다. 그래서 한인 공동회 대표들이 항의하며 정정해 달라고 요청했지. 그런데 스티븐스는 모두 사실이니 정정할 것이 없다며 거절했다고 해.

미국 땅에서 미국인을 저격하여 사망케 한 사건이었지만 재미 한인 동포들이 두 사람을 위해 힘을 합쳐 노력한 결과, 전명운은 풀려나고 장인환은 사형을 면하고 25년형을 선고받았어.

문득 안중근 의사가 떠오르는구나. 일본인들로 꽉 찬 법정에서 홀로 서 있는, 그리고 시신으로도 여태 돌아오지 못하고 있는 그의 모습이 말이야.

일일부독서구중생형극
一日不讀書口中生荊棘

치악의악식자부족여의
恥惡衣惡食者不足與議

견리사의견위수명
見利思義見危授命

하루라도 책을 읽지 않으면
입안에 가시가 돋는다.

궂은 옷, 궂은 밥을 부끄러워하는
자와는 더불어 의논할 수 없다.

이익을 보거든 정의를 생각하고
위태로움을 보거든 목숨을 바치라.

04
이천만 동포여, 일어나거라!

1919년 3월 1일 오후 2시경, 독립 선언을 선포

1919년 3월 10일 황해도 해주에서 만세 운동을 하는 부녀자들을 진압하는 일본군

1919년 4월 1일 천안 병천 시장의 만세 운동에 앞장선 유관순

1919년 4월 15일 수원 제암리 사건

1919년 3·1 운동 당시
〈독립 선언서〉를 낭독하고 독립 만세를 외친 탑골 공원.
탑골 공원의 한쪽에 3·1 운동을 기록한 부조가 전시되어 있어.
부조를 자세히 보면서 그날의 함성을 느껴 보자꾸나.

생각 한 걸음

1 종교 단체의 지도자들과 학생들이 전국적인 독립 운동의 거사 일을 3월 1일로 정한 이유는 무엇인가요?

2 민족 대표 33인은 어떤 종교의 대표들로 이루어졌나요?

3 조선의 독립을 세계에 선포하기 위해 만든 선언서를 무엇이라고 하나요?

4 최초의 서양식 공원으로, 3·1 운동이 처음 시작된 곳은 어디인가요?

5 일본 유학생들이 도쿄에서 발표하여, 3·1 운동을 본격적으로 준비하게 한 사건은 무엇인가요?

6 1차 세계 대전이 끝난 뒤 패전국의 식민지들을 독립시키기 위해 미국의 윌슨 대통령이 제안한 것은 무엇인가요?

7 중국의 상하이에 자리 잡은 임시 정부는 나라의 이름을 무엇이라고 지었나요?

생각 두 걸음

1 다음은 〈독립 선언서〉와 〈독립 선언서〉에 서명한 민족 대표 33인에 대한 내용입니다.

❶ 〈독립 선언서〉 내용 중 독립의 이유를 밝힌 본문을 소리 내어 읽어 보세요.

❷ 〈독립 선언서〉를 작성한 사람은 누구인가요?

❸ 민족 대표들은 조선 사람들이 한용운이 쓴 공약 3장을 읽고 어떻게 행동하기를 바랐는지 이야기해 보세요.

❹ 민족 대표 33인은 기독교계 16명, 천도교계 15명, 불교계 2명으로 이루어져 있습니다. 민족 대표들은 왜 종교 지도자로만 이루어졌을까요?

본문

[원문] 吾等(오등)은 玆(자)에 我(아) 朝鮮(조선)의 獨立國(독립국)임과 朝鮮人(조선인)의 自主民(자주민)임을 宣言(선언)하노라. 此(차)로써 世界萬邦(세계만방)에 告(고)하야 人類平等(인류평등)의 大義(대의)를 克明(극명)하며, 此(차)로써 子孫萬代(자손만대)에 誥(고)하야 民族自存(민족자존)의 正權(정권)을 永有(영유)케 하노라. (하략)

[해석] 우리는 이에 우리 조선이 독립한 나라임과 조선 사람이 자주적인 민족임을 선언한다. 이로써 세계 만국에 알리어 인류 평등의 큰 도의를 분명히 하는 바이며, 이로써 자손만대에 깨우쳐 일러 민족의 독자적 생존의 정당한 권리를 영원히 누려 가지게 하는 바이다.

공약 3장

하나, 오늘 우리의 이번 거사는 정의, 인도와 생존과 영광을 갈망하는 민족 전체의 요구이니, 오직 자유의 정신을 발휘할 것이요, 결코 배타적인 감정으로 정도에서 벗어난 잘못을 저지르지 마라.

하나, 최후의 한 사람까지 최후의 일각까지 민족의 정당한 의사를 시원하게 발표하라.

하나, 모든 행동은 가장 질서를 존중하며, 우리의 주장과 태도를 어디까지나 떳떳하고 정당하게 하라.

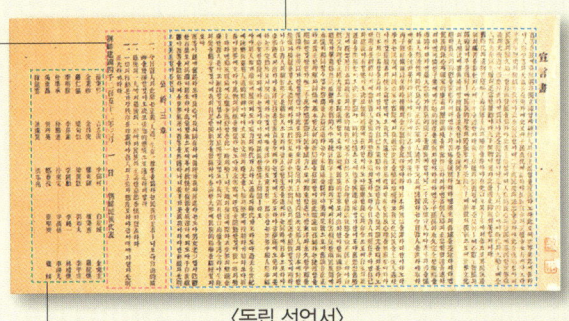

〈독립 선언서〉

조선 민족 대표

손병희, 길선주, 이필주, 백용성, 김완규, 김병조, 김창준, 권동진, 권병덕, 나용환, 나인협, 양전백, 양한묵, 유여대, 이갑성, 이명룡, 이승훈, 이종훈, 이종일, 임예환, 박준승, 박희도, 박동완, 신홍식, 신석구, 오세창, 오화영, 정춘수, 최성모, 최린, 한용운, 홍병기, 홍기조

2 다음은 3·1 운동과 관계된 지도와 표입니다.

❶ 유관순이 참여한 아우내 장터 만세 운동과 관계된 곳을 찾아 파란색으로 동그라미 해 보세요.
❷ 일본군이 저지른 제암리 학살 사건과 관계된 곳을 찾아 초록색으로 동그라미 해 보세요.
❸ 3·1 운동 봉기 지도와 표를 보면서 알 수 있는 것을 이야기해 보세요.
❹ 3·1 운동은 약 1년간 이어진 만세 운동입니다.
  만세 운동은 어떻게 약 1년 동안 이어질 수 있었을까요?

구분	피해 규모
집회 횟수	1542회
참가 군	211군/전국 218군
참가 인원	202만 3098명
사망자	7,509명
부상자	15,961명
잡혀간 사람	46,948명
불탄 교회	47곳
불탄 민가	715채

3·1운동의 규모와 사상자
- 1919.3~5까지 통계
출처: 박은식, 《한국독립운동지혈사》

● 대규모 시위 발생지(1만 명 이상)
● 소규모 시위 발생지

3 다음은 국내와 국외의 3·1 운동 관련 사진입니다.

❶ 3·1 운동에 참여한 사람들과 시위 방법에 대해 이야기해 보세요.

❷ 해외 동포들에게 만세 운동이 확산된 이유는 무엇일까요?

❸ 국내와 해외 동포들의 만세 운동을 지켜본 외국 사람들은 어떤 생각을 했을까요?

국내 독립 운동

덕수궁 앞 3·1 운동

광화문 앞 3·1 운동

종로 앞의 3·1 운동

국외 독립 운동

미국 필라델피아 한인회 시가행진

러시아 블라디보스토크 3·1 운동 기념 시위

중국 용정 서전벌 만세 운동

깊이 생각하기

1 다음은 3·1 운동이 일어나게 된 여러 이유입니다. 다음 중에서 3·1 운동이 일어나는 데 가장 큰 역할을 했다고 생각한 것을 고르고, 그 이유를 이야기해 보세요.

헌병 경찰제
일본의 헌병 경찰은 조선 사람들의 모든 생활을 철저히 감시하였고, 독립운동을 무자비하게 탄압하였다.

고종의 장례식
고종이 갑자기 세상을 떠나자, 3월 3일에 치르지는 고종의 장례식을 보려고 많은 사람들이 전국에서 모여들었다.

민족 자결의 원칙
1차 세계 대전이 끝난 뒤 미국의 윌슨 대통령은 식민지나 점령지의 미래를 그 민족이 스스로 결정해야 한다는 '민족 자결의 원칙'을 제안하였다.

독립 선언서 발표
1919년 2월 1일에 중국에서 독립 운동가들이 '무오 독립 선언'을, 1919년 2월 8일에 일본 유학생들이 '2·8 독립 선언'을 각각 발표하였다.

2 3·1 운동 이후에 우리나라의 상황은 어떻게 변했을까요?

3 3월 1일을 국경일로 정해 매년 기념하고, 여러 행사를 하는 이유는 무엇일까요?

생각 펼치기

 유관순 열사에게 편지 쓰기

일제에 맞서 나라를 되찾기 위해 목숨을 바친 유관순 열사에게 편지를 써 보세요.

> 유관순은 1902년 충청남도 천안에서 태어났다. 1916년 이화 학당에 입학했고, 1919년 3월 1일 만세 운동에 참여했다. 이화 학당이 휴교에 들어가자 고향으로 돌아와 만세 운동을 계획했다. 4월 1일 아우내 장터에서 만세 운동이 시작되었고, 많은 사람이 함께했다. 이 과정에서 유관순의 아버지, 어머니가 목숨을 잃었고, 유관순은 주동자로 지목되어 감옥에 갇혔다. 공주 지방법원에서 징역 3년을 받고 항소했으며, 경성 복심 법원에서 재판을 받던 중 "대한 독립 만세!"를 외치며 일본에 항의하다가 법정을 모욕했다는 죄가 더해져 징역 7년을 받았다. 서대문 형무소에 갇혀 있을 때 틈만 나면 "대한 독립 만세!"를 큰 소리로 외쳤다. 그 때문에 독방에 갇히고 심한 고문을 받았다. 1920년 감옥에서 죽음을 맞았다.

역사와 뛰놀기

서대문 형무소 역사관 답사하기

일제 강점기에 많은 독립 운동가들이 수감되었던 서대문 형무소 역사관을 찾아가 보세요.

서대문 형무소는 1907년 일본이 설계하고 지었다. 처음 이름은 '경성감옥'이었다. 1987년 시설을 경기도 의왕으로 이전하고, 이곳을 서대문 독립 공원으로 조성할 때까지 80년 동안 약 35만 명을 수감했다. 일제 강점기 때는 주로 민족 지도자와 독립 운동가가 수감되었다. 사적 제324호로 지정되었다.

- 통곡의 미루나무 앞에서 사형장으로 가는 독립 운동가의 마음 생각해 보기
- 독방 체험해 보기 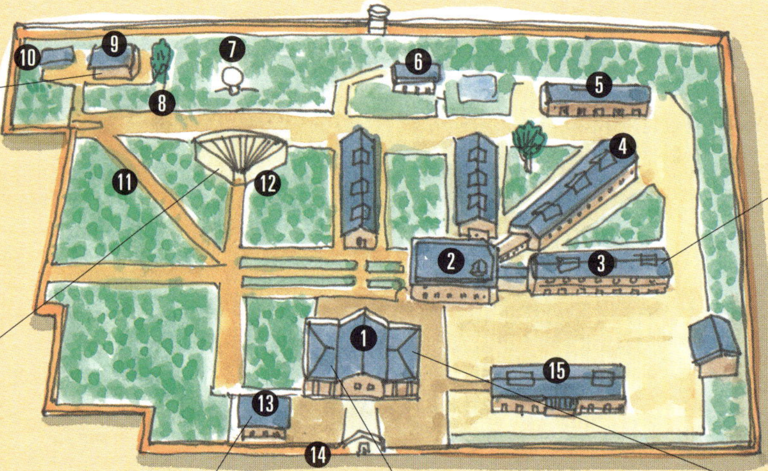 
- 격벽장 걸어 보기 
- 유관순이 수감되었던 8호 감방 찾아보기
- 수형 기록표가 있는 방에서 묵념하기 
- 벽관 고문 체험해 보기

❶ 전시관　❷ 중앙사　❸ 12옥사　❹ 11옥사　❺ 공작사　❻ 한센병사　❼ 추모비　❽ 통곡의 미루나무　❾ 사형장
❿ 시구문　⓫ 옥사터와 붉은벽돌　⓬ 격벽장　⓭ 여옥사　⓮ 망루와 담장　⓯ 취사장

역사 공감하기

탑골 공원에서 낭독된 〈독립 선언서〉 외에도 여러 종류의 〈독립 선언서〉가 여러 지역에서 각각 발표되었어. 우리 민족이 살고 있던 곳이면 어디든 독립운동 단체가 있었고, 각자 〈독립 선언서〉를 만들었지.

〈독립 선언서〉 중에는 여성들끼리 만들어 발표한 것도 있단다. 만주 간도에서는 김인종, 김숙경, 김옥경, 고순경, 김숙영, 최영자, 박봉희, 이정숙 등이 〈대한 독립 여자 선언서〉를, 해주에서는 기생인 김월희, 문월선, 김해중월, 문향희, 옥채주 등이 〈독립 선언서〉를 발표했단다. 이들의 〈독립 선언서〉는 순 한글로 되어 있어서 읽기 쉽고 이해하기도 쉬웠어. 여성들이 만든 〈독립 선언서〉를 보며 당시 여성들의 독립에 대한 굳은 의지를 느껴 보자.

> 고금에 없는 구주대전란의 결국에 민본적 주의로 만국이 평화를 주창하는 금일을 당하여… 우리도 비록 규중에 생활하여 지식이 몽매하고 신체가 연약한 아녀자 무리나 국민됨은 일반이요, 양심은 한가지라… 사랑하는 대한 동포에게 엎드려 고하오니 동포! 동포여! 때는 두 번 이르지 아니하고 일은 지나면 못하나니 속히 분발할지어다! 동포! 동포시여! 대한 독립 만세!
>
> 〈대한 독립 여자 선언서〉

> 냇물이 모여 바다를 이루고 티끌 모아 태산도 이룩한다 하거늘, 우리 민족이 저마다 죽기 한하고 마음에 소원하는 독립을 외치면 세계의 이목은 우리나라로 집중될 것이요, 동방의 작은 나라 우리 조선은 세계 강대국의 동정을 얻어 민족 자결 문제가 해결되고 말 것이다.
>
> 해주 기생들의 〈독립 선언서〉

05
독립군의 두 별, 홍범도와 김좌진

생각 한 걸음

1 만주 지역에서 김좌진과 홍범도가 이끌었던 독립군 부대의 이름은 각각 무엇인가요?

2 홍범도가 이끈 대한독립군, 최진동이 이끈 군무도독부군, 안무가 이끈 국민회군이 연합하여 봉오동에서 일본에 대승한 전투를 무엇이라고 부르나요?

3 1920년 10월, 청산리 일대에서 일어난 10여 차례의 크고 작은 전투에서 김좌진, 홍범도, 최진동을 중심으로 연합한 독립군이 일본군을 상대로 승리한 전투를 무엇이라고 부르나요?

4 독립군에게 연달아 패한 일본군이 간도에 살고 있는 조선인의 집과 학교를 불태우고, 죄 없는 조선인들을 죽인 사건을 무엇이라고 하나요?

5 조선인들이 많이 모여 살던 곳으로, 독립 운동가들의 활동 무대가 되었던 간도의 상업 중심지는 어디인가요?

6 러시아가 연해주에 살고 있던 18만 명의 조선인들을 강제로 중앙아시아로 보낸 사건을 무엇이라고 하나요?

7 독립운동에 뜻을 두고 중국에서 법학과 의학을 공부하다가 조선의용군 부녀 대장으로 활동한 사람은 누구인가요?

생각 두 걸음

1 다음은 1920년대 초 만주와 연해주에서 활동한 독립군 부대 지도입니다.

❶ 조선인들이 많이 살았던 지역을 초록색으로, 주요 독립군의 근거지를 파란색으로 색칠해 보세요.

❷ 당시 만주와 연해주에는 70여 개의 독립군 부대가 있었습니다. 독립군 부대는 왜 수십 개로 나뉘어 있었을까요?

❸ 독립군이 일본군과의 전투에서 승리를 거둔 봉오동과 청산리에 동그라미 해 보세요.

❹ 홍범도와 김좌진이 전투에서 승리한 뒤 러시아로 떠난 이유는 무엇일까요?

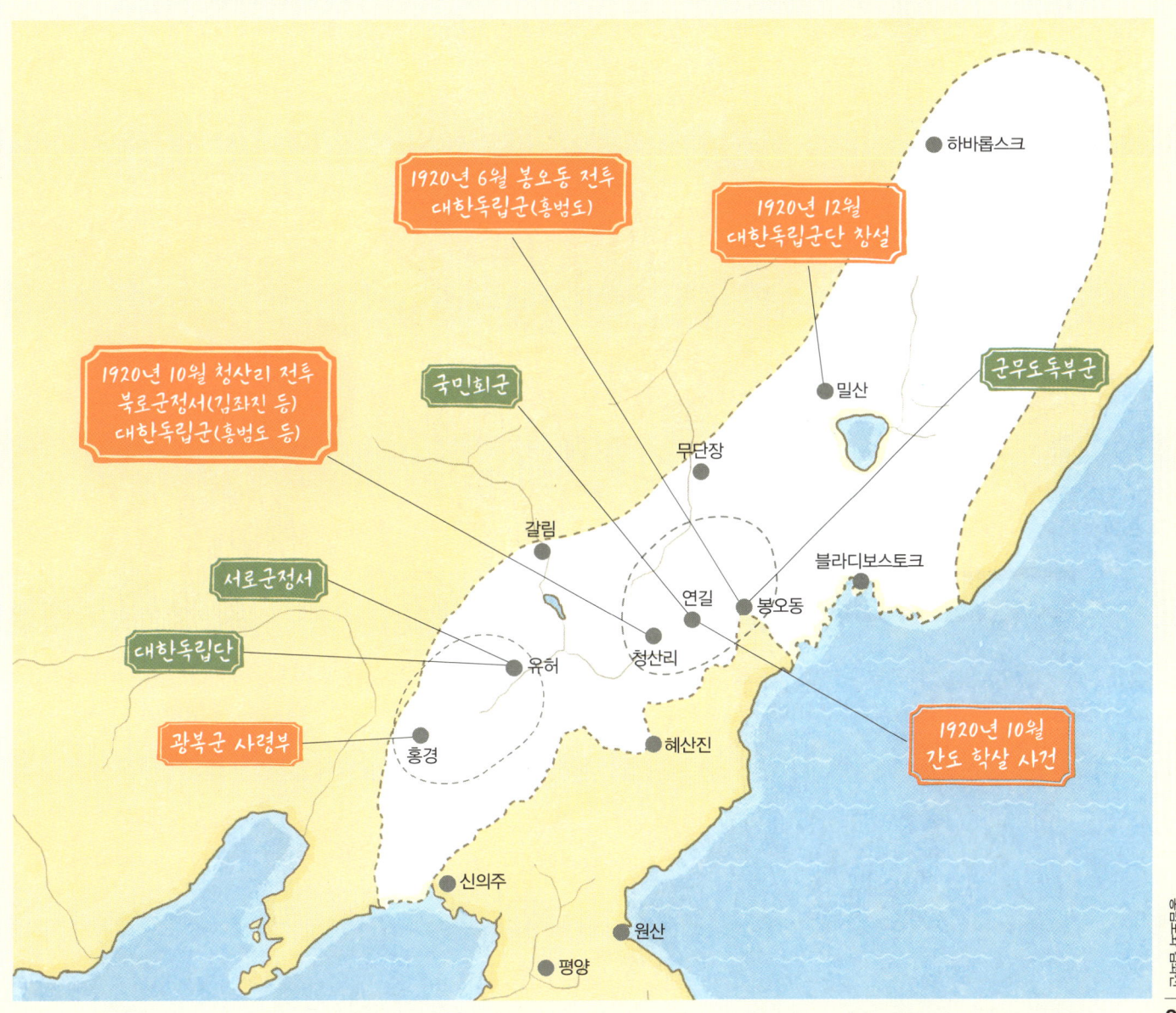

2 당시 봉오동 전투 상황을 그린 일본군의 지도를 보고 봉오동 전투에 대해 알아보세요.

❶ 등고선 보는 방법을 참고하여 지도에 나타난 봉오동의 모습을 설명해 보세요.
❷ 독립군과 일본군을 찾아 각각 초록색 선과 주황색 선으로 표시해 보세요.
❸ 독립군이 어떤 전술로 일본군과 싸웠는지 이야기해 보세요.

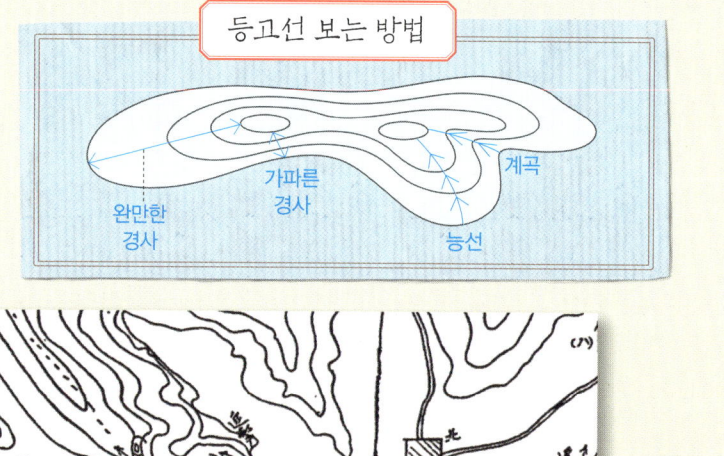

3 다음은 홍범도와 김좌진에 관한 내용입니다.

❶ 빈 곳에 두 사람이 활약한 전투를 각각 써 보세요.

❷ 홍범도와 김좌진은 청산리 전투에서 함께 일본군과 싸웠습니다. 청산리 전투를 앞둔 홍범도와 김좌진이 어떤 대화를 했을지 상상해서 써 보세요.

> 봉오동 전투에서 패배한 일본은 독립군을 토벌하기 위해 기병과 포병을 포함하여 약 5000명의 군대를 보내 김좌진과 홍범도 부대를 총공격하려는 군사 작전을 계획하고 있었다. 당시 독립군은 2000명 정도였다.

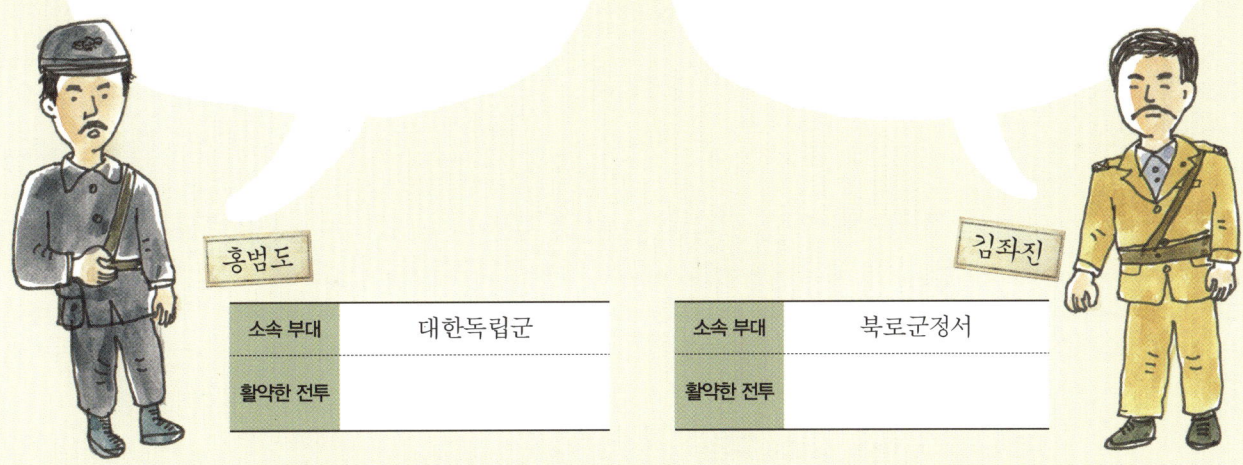

홍범도
- 소속 부대: 대한독립군
- 활약한 전투:

김좌진
- 소속 부대: 북로군정서
- 활약한 전투:

❸ 홍범도와 김좌진의 생애를 생각해 보고, 느낀 점을 이야기해 보세요.

깊이 생각하기

1 봉오동 전투, 청산리 전투가 독립군의 활약 중 높은 평가를 받는 이유는 무엇일까요?

2 만주 지역에는 다음과 같이 많은 독립군 조직이 활동했습니다. 활발한 독립 운동을 위해 독립군에게 필요했던 것은 무엇일까요?

	항일 단체 및 독립군 부대	주요 활동
서간도 지방	서로군정서, 신흥무관학교(신흥학우단), 대한독립단, 한족회, 대한청년단연합회, 광복군총영(대한광복군사령부) 외 10여 개	• 국내 진공 작전으로 평안도, 함경도 등 북부 지역의 일본 경찰서, 관공서 습격 및 폭파
북간도 지방	북로군정서, 대한국민회국민군, 대한독립군, 정의단, 군무도독부, 대한광복단, 한민회군 외 20여 개	• 봉오동 전투, 청산리 전투 • 군사 훈련, 계몽 운동 등

3 독립군이 만주와 연해주 등에서 벌인 무장 투쟁이 지닌 의미와 한계를 생각해 보세요.

생각 펼치기

 여성 독립 운동가 소개하는 글쓰기

다음 여성 독립 운동가 중 한 사람을 골라 조사하고, 그 사람을 선택한 이유를 넣어 소개하는 글을 써 보세요.

정정화
- 독립 운동 자금을 모으는 일과 자금을 전달하는 일에 참여함.
- 임시 정부 요원들의 뒷바라지를 함.

권기옥
- 한국 최초의 여성 비행사
- 대한애국부인회에서 활동함.

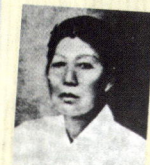

남자현
- 국제연맹조사단에 독립 호소문 전달.
- 조선 총독 암살을 시도함.

윤희순
- '안사람 의병단' 조직.
- 부녀자 군자금 모금 활동을 함.

김마리아
- 2·8 독립 선언을 위한 자금을 모금하고, 2·8 독립 선언 대회에 참석.
- 미국 유학 중 여학생들을 모아 독립운동 단체 '근화회'를 조직함.

박자혜
- 간호사 독립운동 단체 '간우회'를 만들어 3·1 만세 운동에 참여함.
- 신채호와 결혼하여 독립운동을 도움.

제목:

역사와 뛰놀기

독립군의 비밀 편지 쓰기

독립군이 되어 다른 조직원에게 보내는 비밀 편지를 상상해서 써 보세요.

준비물
식초, 접시, 붓, 다리미, A4 용지

만드는 방법

① 붓에 식초를 묻혀서 A4 용지에 글자를 쓰세요.

다리미를 사용할 때 조심하세요!

② 식초가 다 마른 후, 다리미로 종이를 다리면 글자가 나타납니다.

역사 공감하기

현상금은 물건이나 사람을 찾는 대가로 내건 돈을 말해. 현상금이 걸렸다고 하면 죄를 짓고 도망 중인 무서운 범죄자를 생각하기 마련이지? 그런데 역사 속의 인물 중에도 거액의 현상금이 걸려 있던 사람들이 있었어.

조선 시대에는 명종 때 의적으로 불렸던 임꺽정, 고종 때 동학 농민 운동을 주도한 전봉준에게 현상금이 걸렸어. 일제 강점기에는 김구를 비롯해 홍범도, 김좌진, 신돌석 등 수많은 항일 투쟁 지도자들에게 상당한 액수의 현상금이 내걸렸지. 당시 김구의 현상금은 60만 원이었는데, 지금의 가치로 환산하면 무려 198억 원에 이르는 거액이야. 80kg짜리 쌀가마로 환산하면 56만 2500가마가 되는 엄청난 양이기도 해. 당시 일본이 얼마나 백범 김구를 체포하고 싶어 했는지 느껴지지?

거액의 현상금이 걸려 있던 사람이 또 있어. 의열단을 조직하여 일본 정부와 조선 총독부를 상대로 항일 무장 투쟁에 힘썼던 독립 운동가 김원봉이 바로 그 인물이란다. 그에게는 어마어마한 현상금이 걸려 있었다고 해. 독립 운동가들, 의병들, 임시 정부의 지도자 등, 나라의 독립을 위해 싸운 이들은 현상금 때문에 늘 도망 다녀야 했고 불안한 시간을 보내야 했어.

일제는 현상금을 내걸어서 독립 투쟁을 하던 인사들을 잡으려 했고, 국내의 분열을 꾀했단다. 실제로 신돌석을 비롯한 적지 않은 애국지사들이 현상금에 눈 먼 자들에게 죽임을 당하기도 했어. 현상금을 받기 위해서 나라를 위해 몸 바쳐 싸운 독립 운동가들을 밀고한 사람들. 이들을 넌 어떻게 생각하니?

06
방정환과 '어린이날'

내 이름은 코이노보리(잉어 깃발)야. 5월 5일 어린이날에 아이의 성장과 출세를 기원하며 나를 높이 달아 장식한단다.

일본

4월 23일 어린이날이 되면 우리들은 전통 의상을 입고 공연을 한단다. 그리고 가족에게 특별한 선물도 받으면서 즐겁게 지내.

터키

우리 어린이날은 6월 1일이야. 축하 공연을 관람하고 체육 대회에도 참여하면서 즐겁게 보낸단다.

북한

여러 나라의 어린이날 모습이야.
나라는 다르지만
어린이를 소중하게 여기는 마음은 모두 같아 보여.

생각 한 걸음

1 어린이들에게 우리 문화와 역사를 알려 주기 위해, 방정환이 친구들과 함께 만든 소년 운동 단체는 무엇인가요?

2 우리나라 최초의 어린이날은 몇 월 며칠인가요?

3 방정환이 '아동, 소년'이란 말 대신에 '어린이'라고 부르자고 한 이유는 무엇인가요?

4 방정환은 어떤 사상의 영향을 받아 어린이 존중 사상을 갖게 되었나요?

5 시골에서 올라와 서울의 야트막한 산기슭이나 개천 옆, 다리 밑 같은 데에 움막을 짓고 사는 사람을 무엇이라고 했나요?

6 어린이들을 위한 최초의 잡지는 무엇인가요?

7 시집《진달래꽃》을 펴낸 시인은 누구인가요?

생각 두 걸음

1 다음은 일제 강점기 어린이들의 생활을 알 수 있는 사진입니다.

❶ 일제 강점기 어린이들이 어떤 생활을 했는지 사진을 보고 이야기해 보세요.
❷ 사진에 어울리는 제목을 지어 보세요.
❸ 사진 속 어린이들이 어떤 생각을 하고 있을지 상상해서 말풍선에 써 보세요.
❹ 당시 어린이들에게 가장 필요한 것은 무엇이었을까요?

ㄱ

누가 어른일까?

ㄴ

ㄹ

가마니 팔러 왔어요.

ㄷ

물동이가 무거워도…

2 다음은 1925년 어린이날 발행된 〈동아일보〉의 호외입니다.

❶ 어린이날을 알리는 호외에 어떤 기사들이 실려 있는지 살펴보세요.
❷ 어린이날 기념식에는 어떤 행사들이 있었나요?
❸ 〈어린이에게 당부하는 글〉을 읽어 보세요.
❹ 〈허풍선이〉라는 만화 속 말풍선을 상상하여 채워 보세요.

어린이에게 당부하는 글
1. 우리는 새 시대를 만들 주인이다.
2. 어른보다 더 새로운 생각을 갖는 사람이 되자.
3. 씩씩하고 참되고 인정 많은 사람이 되자.
4. 거짓말하거나 나쁜 말 하는 사람이 되지 말자.
5. 나무와 풀과 동물을 사랑하고 보호하자.
6. 나쁜 구경 다니지 말고 좋은 잡지를 읽자.
7. 솟는 해와 지는 해를 잊지 말고 보자.

어린이날 기념행사 안내
- 길거리로 돌아다니며 오색 선전지 나눠 주기
- 어린이 선전 깃발을 들고 서울 종로 일대 행진
- 천도교회당에서 성대한 축하 행사와 4500명 어린이의 오색 풍선 날리기 대회

각 지역의 어린이 관련 행사
- 인천: 어린이 행진 및 선전지 배포
- 평양: 기념행사와 야유회
- 동경: 기념식 및 동호회
- 광주: 어린이날 기념 야유회
- 이리: 어린이 무료 진단 행사

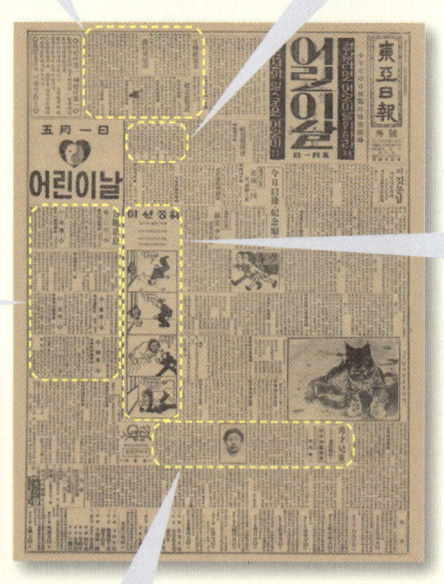

수재 아동 소개
〈장래의 수학가〉
금산 공립 보통학교에 다니며 수학을 매우 잘하고 6년 동안 개근을 한 성실한 여학생인 '김주봉' 어린이를 소개하는 기사

3 다음은 일제 강점기 아동 문학과 관련된 사진들입니다.

❶ 이때 어린이 잡지가 많이 출판된 이유는 무엇일까요?

❷ 《사랑의 선물》에는 '신데렐라', '행복한 왕자', '잠자는 숲 속의 공주' 등 십여 편의 명작 동화가 번역되어 실렸습니다. 이런 동화를 읽은 어린이들은 어떤 생각을 했을까요?

❸ 오늘날 다시 출간된 아래의 동화책과 그림책 중 알고 있는 이야기의 줄거리를 간단하게 이야기해 보세요.

《어린이》 1923년 3월 방정환과 색동회가 창간한 월간 어린이 잡지

《새벗》 1928년 창간된 월간 어린이 잡지

《학생》 1929년 3월 창간된 월간지

《사랑의 선물》 1922년 방정환이 번역한 세계 명작 동화집
북랩출판사

《만년샤쓰》 방정환이 쓴 동화.(1927년 《어린이》에 발표)
김세현 그림, 길벗어린이

《바위나리와 아기별》 마해송이 쓴 동화. (1926년 《어린이》에 발표) 정유정 그림, 길벗어린이

《칠칠단의 비밀》 방정환이 쓴 동화. (《어린이》에 1926년 4월 ~1927년 12월 13회 연재.)
사계절

❹ 잡지 《어린이》에 실려 발표된 동요 〈반달〉과 〈고향의 봄〉을 불러 보세요.

〈반달〉

푸른 하늘 은하수 하얀 쪽배엔
계수나무 한 나무 토끼 한 마리
돛대도 아니 달고 삿대도 없이
가기도 잘도 간다 서쪽 나라로

은하수를 건너서 구름 나라로
구름 나라 지나선 어디로 가나
멀리서 반짝반짝 비치이는 건
샛별이 등대란다 길을 찾아라

〈고향의 봄〉

나의 살던 고향은 꽃피는 산골
복숭아꽃 살구꽃 아기 진달래
울긋불긋 꽃 대궐 차리인 동네
그 속에서 놀던 때가 그립습니다

꽃동네 새동네 나의 옛 고향
파란들 남쪽에서 바람이 불면
냇가에 수양버들 춤추는 동네
그 속에서 놀던 때가 그립습니다

깊이 생각하기

1 다음 방정환의 업적을 읽어 보고 표를 완성하세요.

어린이 운동
- 소년 운동 단체 '색동회' 조직.
- 어린이날 제정.
- 아동 권리 공약 3장 발표.
- 세계 아동 예술 전람회 개최.

아동 문학
- 잡지 《어린이》 창간함.
- 여러 편의 동화, 동시, 동요를 짓고, 동화를 번역함.

교육
- 소년 지도자 대회 개최.
- 당시 어린이 도덕 교과서로 사용된 《어린이독본》을 씀.
- 여러 차례의 동화 구연 대회, 강연회 개최.

독립운동
- 1919년 3·1 운동 당시 〈조선독립신문〉을 인쇄해 배부하다가 일본 경찰에 잡혀 1주일간 고문을 당하다가 풀려남.
- 1926년 6·10 만세 사건에 연루돼 경찰에 잡혀감.

이미 알고 있었던 것	
새롭게 알게 된 것	
방정환에 대해 더 알고 싶은 것	

2 방정환이 어린이 운동을 전개한 후 어린이에 대한 사람들의 생각은 어떻게 바뀌었을까요?

3 1920년대에 다음과 같은 사회 운동이 일어날 수 있었던 이유는 무엇일까요?

어린이 운동	형평사 운동	문맹 퇴치 운동	노동 운동
방정환은 힘들게 살아가는 어린이들을 위해 어린이날을 제정하는 등 어린이의 인권을 위해 노력하였다.	신분제가 철폐되었지만 백정들에 대한 차별이 계속되자, 백정들은 신분 차별 폐지 운동을 일으켰다.	〈조선일보〉, 〈동아일보〉 등 신문사들은 한글을 모르는 문맹자들을 위해 한글 보급 운동을 폈다.	부당한 대우를 받으며 일하고 있던 원산 부두 노동자들은 처우 개선 등을 요구하며 총파업을 일으켰다.

생각 펼치기

방정환의 '어린 동무들에게' 바꿔 쓰기

방정환이 쓴 〈어린 동무들에게〉를 소리 내어 읽어 보고, 현대 어린이의 상황에 맞게 바꿔 써 보세요.

> 색동회는 1923년 5월 1일, 당시 일본에 유학 중이던 방정환, 강영호, 고한승, 손진태, 정병기, 정순철, 조준기, 진장섭 등의 참여로 창립되었다.
> 색동회는 제대로 대우받지 못하고 자라는 우리 어린이들을 위해 5월 1일을 어린이날로 정하고, 호소문인 〈어른에게 드리는 글〉과 〈어린 동무들에게〉를 발표하였다.

어린 동무들에게

돋는 해와 지는 해를 반드시 보기로 합시다.
어른들에게는 물론이고
당신들끼리도 서로 존대하기로 합시다.
뒷간이나 담벽에 글씨를 쓰거나
그림 같은 것을 그리지 말기로 합시다.
길가에서 떼를 지어 놀거나 유리 같은 것을 버리지 말기로 합시다.
꽃이나 풀은 꺾지 말고 동물을 사랑하기로 합시다.
전차나 기차에서는 어른에게 자리를 사양하기로 합시다.
입은 꼭 다물고 몸은 바로 가지기로 합시다.

⭐ 현대 어린이의 상황에 맞게 바꿔 써 보세요.

역사와 뛰놀기

기념일 포스터 그리기

방정환이 어린이를 소중하게 생각해서 어린이날을 만든 것처럼
새로운 기념일을 만들고 포스터를 그려 보세요.

준비물: 색연필, 사인펜

여러 가지 기념일

세계 습지의 날 2월 2일	장애인의 날 4월 20일	지구의 날 4월 22일	근로자의 날 5월 1일
부부의 날 5월 21일	성년의 날 5월 셋째 월요일	바다의 날 5월 31일	의병의 날 6월 1일
정보 보호의 날 7월 둘째 수요일	철도의 날 9월 18일	국군의 날 10월 1일	체육의 날 10월 15일
문화의 날 10월 셋째 토요일	농업인의 날 11월 11일	무역의 날 12월 5일	원자력의 날 12월 27일

역사 공감하기

오늘도 난 학교 대신 일터에 가.
내가 일하지 않으면 우리 가족은 굶게 되거든.
난 망치로 돌을 쪼개는 일을 하고 있어.
돌을 쪼개다가 돌조각이 눈에 들어가서
눈이 아픈 적도 많아. 나도 다른 친구들처럼
학교 다니며 마음껏 뛰어놀고 싶어.

세계 여러 나라에서는 아직도 어린이가 노동하는 곳이 많단다. 어린이들은 커피, 카카오, 목화, 농산물을 재배하거나 수확을 한단다. 짐을 나르고 쓰레기를 줍기도 해. 또 광물을 캐거나 공장에서 일하기도 하지. 한창 뛰어놀며 학교에 다녀야 할 나이에 이런 일들을 하는 거야. 간혹 일하다가 다치는 아이들도 있는데, 치료를 제대로 못 받는 경우가 많아.
세계의 모든 어린이들이 사랑받고 존중받으며 행복하게 자랄 수 있다면 얼마나 좋을까.

07 관동 대학살과 연해주 강제 이주

걷고 걷고 또 걷는다. 간도로, 연해주로.

칙~폭, 칙~폭, 기차 타고 떠난다. 중앙아시아로.

부~웅, 부~웅, 배 타고 떠난다. 일본, 하와이, 멕시코, 쿠바로.

언제쯤이면 도착할까?
다시 돌아갈 수 있을까?
멀어지는 조선을 자꾸 뒤돌아본다.

생각 한 걸음

1 1923년에 일본에서 일어난 대지진으로, 도쿄와 주변 도시들이 한순간에 잿더미가 되어 버린 사건을 무엇이라고 하나요?

2 관동 대지진이 일어났을 때, 조선인이 폭동을 일으켰다는 유언비어를 빌미로 수많은 조선인을 무차별적으로 죽인 일본의 민간 단체는 무엇인가요?

3 '소비에트 사회주의 공화국 연방'의 줄임말로, 아시아의 동쪽 끝인 연해주부터 시베리아와 중앙아시아, 유럽에 맞닿는 지역까지 아우른 거대한 나라는 어디였나요?

4 연해주에 살고 있던 조선인들이 소련에 의해 강제 이주 당한 곳은 어디인가요?

5 일제에 의해 4만 명 이상의 조선인 노동자가 끌려간 섬으로, 해방 이후 러시아 영토로 바뀌면서 우리의 동포들이 조국으로 돌아오지 못하고 남겨진 이곳은 어디인가요?

6 러시아인들은 중앙아시아로 강제 이주하여 살고 있는 조선인의 후손들을 무엇이라고 부르나요?

7 일제 강점기 때 하와이에 있는 사탕수수 농장의 조선인 노동자들이 고향에 사진을 보내 신붓감을 찾았던 일을 무엇이라고 하나요?

생각 두 걸음

1 다음은 관동 대지진과 관련된 내용입니다.

❶ 관동 대지진이 일어난 후 일본 사람들은 어떤 생각을 했을지 말풍선에 써 보세요.

관동 대지진 직후의 도쿄의 아사쿠사

지진 지역을 순찰하는 일본 황태자

❷ 관동 대지진 후 관동 지역의 일본 사람들은 자경단을 만들었습니다. 자경단은 왜 이런 행동을 했을까요?

학살당하는 조선인들

2 다음은 조선 사람들의 해외 이주와 관련된 지도입니다.

❶ 조선 사람들이 이주한 곳을 찾아 동그라미 하고, 이주 경로를 따라 그려 보세요.

❷ 조선 사람들이 이주한 이동 경로를 보면서 알 수 있는 것을 말해 보세요.

❸ 조선 사람들이 다른 나라로 이주하는 과정에서 힘든 점은 무엇이었을까요?

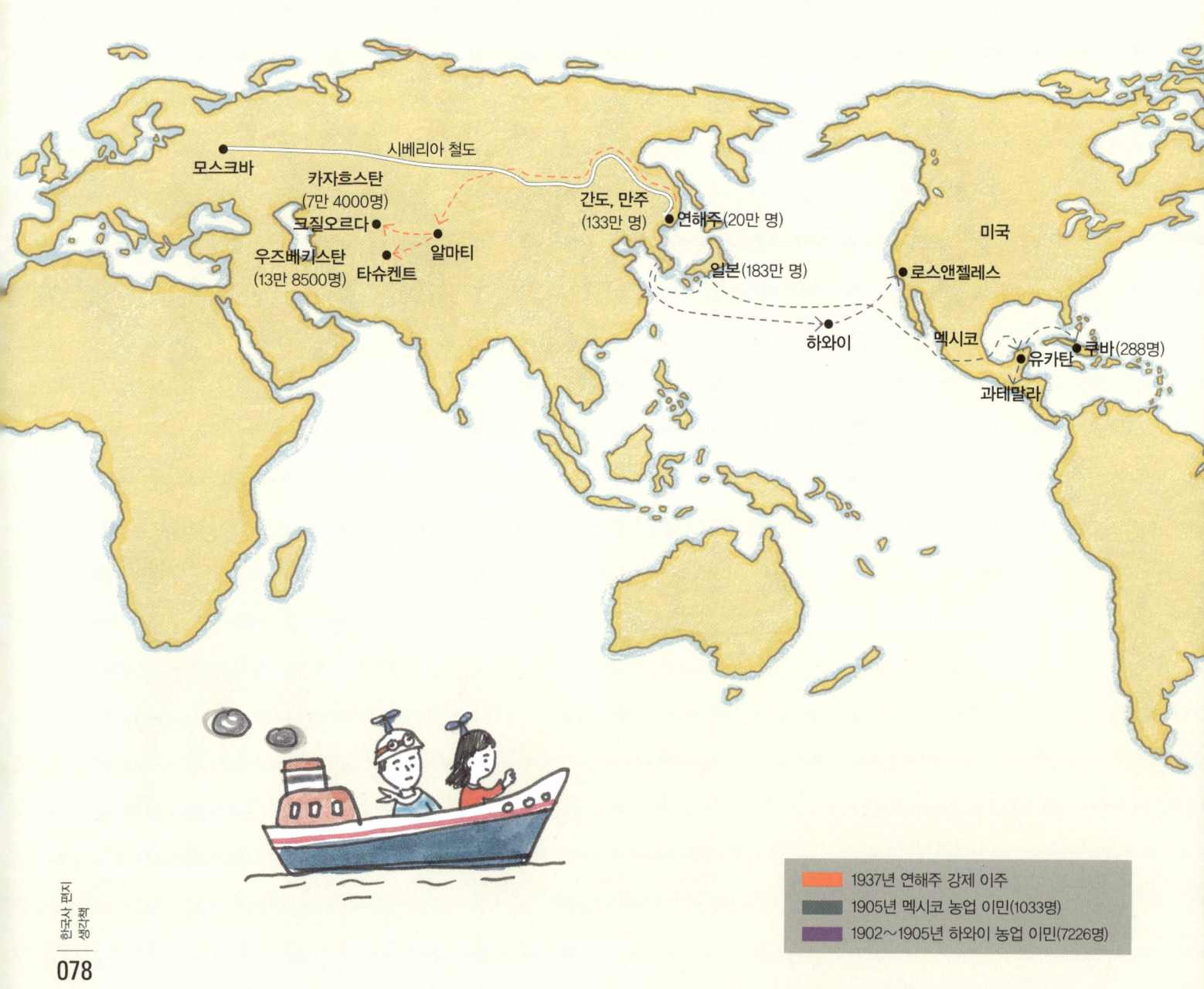

3 다음은 연해주 강제 이주와 관련된 내용입니다.

❶ 소련이 연해주에 살던 조선 사람들을 중앙아시아로 강제로 이주시킨 이유는 무엇인가요?

❷ 연해주에 살던 조선 사람들은 갑자기 다른 곳으로 이주하라는 명령을 받았을 때, 어떤 생각을 했을까요?

❸ 조선 사람들은 중앙아시아로 이주한 뒤, 새로운 환경에서 어떻게 살아갔을까요?

강제 이주 기념비

강제 이주 직후 고려인들이 살았던 토굴

중앙아시아 우즈베키스탄 수도 타슈켄트 근교에 있는 고려인 벼농사 현장

당시 집이 없어 한인들이 땅을 파고 모여 살던 카자흐스탄 우슈토베 외곽의 토굴촌

깊이 생각하기

1 관동 대지진이 일어난 당시, 일본 정부는 정권 유지를 위해서 많은 사람들을 학살했습니다. 이런 일본 정부의 행동을 어떻게 생각하는지 자신의 생각을 이야기해 보세요.

2 관동 대지진, 연해주 강제 이주 사건처럼 조선인이 다른 나라에서 부당하게 대우받았던 이유는 무엇일까요?

3 당시 해외 곳곳으로 이주한 사람들의 후손들은 아직도 그곳에서 살고 있습니다. 이들은 우리와 같은 민족이라고 할 수 있을까요? 자신의 생각을 이유와 함께 이야기해 보세요.

> **민족**: 일정한 지역에서 오랜 세월 동안 공동생활을 하면서 언어와 문화의 공통점 아래 역사적으로 형성된 사회 집단

생각 펼치기

✏️ 관동 대학살에 대한 탄원서 쓰기

연해주 강제 이주 탄원서를 참고해서 관동 대학살에 대한 억울함을 알리고 도움을 요청하는 탄원서를 써 보세요.

> 탄원서: 억울하거나 딱한 사정을 하소연하여 도와주기를 바라는 뜻으로 올리는 글이나 문서

⭐ **연해주 강제 이주를 당한 마학봉이 쓴 탄원서를 읽어 보세요.**

수신 – 당 중앙위원회 서기장 스탈린
　　　　소연방 인민위원회 의장 몰로토프

……저는 16세 한인으로, 소비에트 학교 8학년까지 다녔습니다. 극동구에서 이주할 때 당 서기관과 내무 인민위원부에서는 우리에게 이렇게 말했습니다. "한인 여러분은 중앙아시아의 자치주로 이주됩니다." 우리는 이 통보에 매우 기뻐했지만, 사실은 다음과 같습니다.

1. 지정된 장소에 도착한 후, 초기에 우리는 집도 없이 우즈벡 사람 중 이 사람 저 사람 집에서 얹혀살았고, 이제는 돈도 바닥나고 어떻게 해야 할지 모르겠습니다.
2. 우리는 여러 지역 기관에 찾아가 일자리에 대해 문의해 보았지만, 우리에게 일자리를 주지 않았습니다. 집도 없는 우리 이주민들은 죽기 직전까지 와 있습니다. 수많은 사람들이 굶어 죽어 가고 있습니다.
3. 이주 때 우리에게 중앙아시아에 도착하자마자 우리를 위해 학교가 문을 연다고 말했지만, 아직도 공부를 하지 못하고 있습니다.

(중략)

7. 소연방에서 카프카스 민족들만 잘 살아야 하고, 다른 사람들은 잘 살면 안 되는 겁니까? 우리가 일본 압제기에든 소연방 감독에서든 어디서 죽든지 한인들에게 다 마찬가지입니다. (중략) 우리가 여기서 이렇게 힘들게 살 것이라는 것을 알았더라면, 우리는 거기 극동에서 죽었어야 했습니다. 왜 우리를 극동에서 죽이지 않았습니까? 수많은 한인들이 이주 후에 기후와 풍토에 적응하지 못해 병들고 죽어 가고 있습니다.

전체 부서가 동지의 손에 달려 있으며, 우리의 목숨 또한 동지 손에 달려 있습니다. 원하신다면 우리를 죽여 주십시오. 우리에게는 잘 살 것이라는 실낱같은 희망도 없습니다.

　　　　　　　　　　　　　　　　　　카라칼파키야 자치공화국 노브우르겐치시
　　　　　　　　　　　　　　　　　　　　　　　　　　　　　　마학봉 올림

출전: 블라지미르 김 지음, 김현택 옮김, 《러시아 한인 강제 이주사》, 경당

★ 마학봉의 탄원서를 참고해서 관동 대학살에 대한 탄원서를 써 보세요.

탄 원 서

사 건	관동 대지진으로 일어난 관동 대학살
수 신 인 (탄원서를 받는 사람)	
탄 원 인 (탄원서를 쓰는 사람)	
제 목	

역사와 뛰놀기

한민족 축제 부채 만들기

세계 곳곳에 살고 있는 우리 민족이 한자리에 모이는 축제를 상상해 보세요. 그리고 그 축제에서 사용할 부채를 디자인 해 보세요.

축제 이름

준비물
두꺼운 도화지 1장, 컴퍼스, 나무젓가락, 사인펜이나 색연필, 가위, 목공용 본드, 셀로판테이프

만드는 방법
1. 우리 민족이 모이는 축제의 이름을 만들어 보세요.
2. '부채 만드는 방법'에 따라서 부채를 만들어 보세요.

부채 만드는 방법

① 컴퍼스를 이용해 도화지에 지름 20cm가 되는 원을 그리세요.

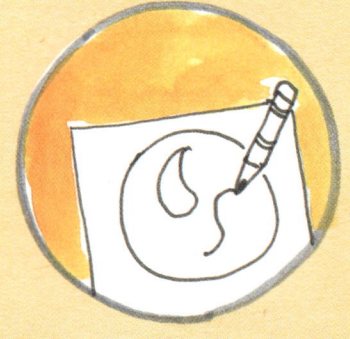

② 원 안에 축제와 한민족을 상징할 수 있는 상징물을 디자인해 보세요.

③ 원을 따라 가위로 오리세요.

④ 나무젓가락을 부채의 손잡이로 쓸 수 있도록 원의 뒷면에 목공용 본드로 잘 붙이세요.

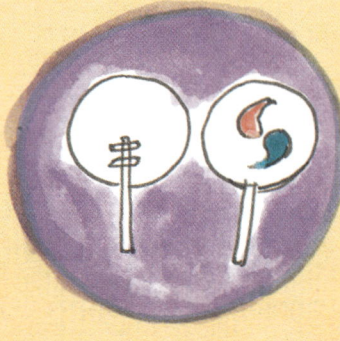

⑤ 셀로판테이프로 손잡이가 움직이지 않도록 고정하면 부채 완성!

2014 제95회 전국 체육 대회 엠블럼
전국 체육 대회(전국체전)는 대한체육회가 주최하는 전국 단위 체육 대회이다. 2014년은 대회가 열리는 제주의 영문자를 상징으로 하여, 제주를 나타내는 감귤의 주황색, 바다의 파란색, 한라산의 초록색 등을 이미지화하였다.

세계 한민족 축전 엠블럼
세계 한민족 축전은 해외에 살고 있는 동포들이 모여 펼치는 종합 축제이다. 엠블럼은 태극 문양을 이용해서 우리 민족의 기상과 의지, 민족 정신을 표현하고 있다.

2014 인천 아시안 게임 엠블럼
아시안 게임은 4년마다 열리는 아시아인들의 축제다. 2014년 인천에서 열린 아시안 게임의 엠블럼은 아시아를 상징하는 A를 날개로 표현하여 아시아인들이 손잡고 비상하는 모습을 표현하고 있다.

역사 공감하기

기차는 여전히 달리고 있다. 벌써 20일째 달리고 있는 것 같다. 가축을 운반하던 기차였을까? 돼지똥 냄새가 코를 찌른다. 우리가 타고 있는 이 기차는 음식을 만들 수 있는 시설은 고사하고 화장실조차 없다. 기차가 서면 우리는 달려 나가 아무데서나 용변을 본다. 우리는 개, 돼지와 다를 바 없다. 어제도 아이 하나가 죽어서 기차 밖으로 던져졌다. 벌써 수십 명째다. 그 아이의 엄마는 아이를 보내고 소리 죽여 울었다. 우리는 어디로 가고 있는지, 왜 이 기차에 타고 있는지 아무 것도 모른다. 조선에서 너무나 배가 고파 연해주로 옮겨 온 지 10년. 이제 겨우 배곯지 않고 밥 먹게 되었다고 좋아하던 딸아이의 모습이 눈에 선하다. 딸아이는 열흘 전에 이름 모를 시베리아 땅에 묻혔다. 그래도 땅에 묻혔으니 내 딸은 운이 좋다고 해야 하나? 기차가 서려나 보다. 기적소리가 울린다. 나는 크게 숨을 들이마셨다. 그리고 조심스레 안주머니를 더듬어 본다. 구겨진 종이로 싼 씨앗 한 움큼.

08 근대 역사학의 아버지 신채호

당신에게 빌린 《동사강목》을 돌려주지 못하고 중국으로 떠나는 나를 용서해 주시오. 내 이 책을 참고해서 우리 민족의 우수성을 알릴 수 있는 책을 써내겠소.

안녕! 난, 조선 시대에 안정복이 쓴 《동사강목》이라고 해. 우리 민족의 역사에 대해 적혀 있어.
우리 민족이 세운 최초의 나라는 고조선이야. 우리 민족은 긴 세월 동안 다른 민족으로부터 많은 침입을 받았지만, 을지문덕, 강감찬 같은 장군들이 우리 민족을 잘 지켜 줬단다.
어때, 우리 민족 정말 멋지지?

생각 한 걸음

1. 우리나라의 고대사를 다룬 신채호의 대표작으로, 1931년 〈조선일보〉에 연재된 내용을 묶어 출간된 역사책은 무엇인가요?

2. '식민 사학'을 설명해 보세요.

3. 일본의 식민 사학자들에 맞서기 위해 한 연구로, 민족에 대한 자부심을 담은 역사학을 무엇이라고 하나요?

4. 신채호는 역사란 '아와 비아의 투쟁 기록'이라고 했습니다. 이것을 우리 역사에 적용하면 '아'와 '비아'는 각각 무엇일까요?

5. 일본의 탄압을 피해 중국으로 떠나는 신채호가 가져간 역사책으로, 그의 역사 연구에 참고가 된 책은 무엇인가요?

6. 의열단장 김원봉의 부탁을 받고 신채호가 쓴 의열단 선언문은 무엇인가요?

7. 민족주의 역사학자로 현대사에 관심을 기울이며, 《한국통사》와 《한국독립운동지혈사》를 쓴 사람은 누구인가요?

생각 두걸음

1 신채호의 생애와 활동을 마인드맵으로 표현해 보세요. ([활동 자료2] 스티커 활용)

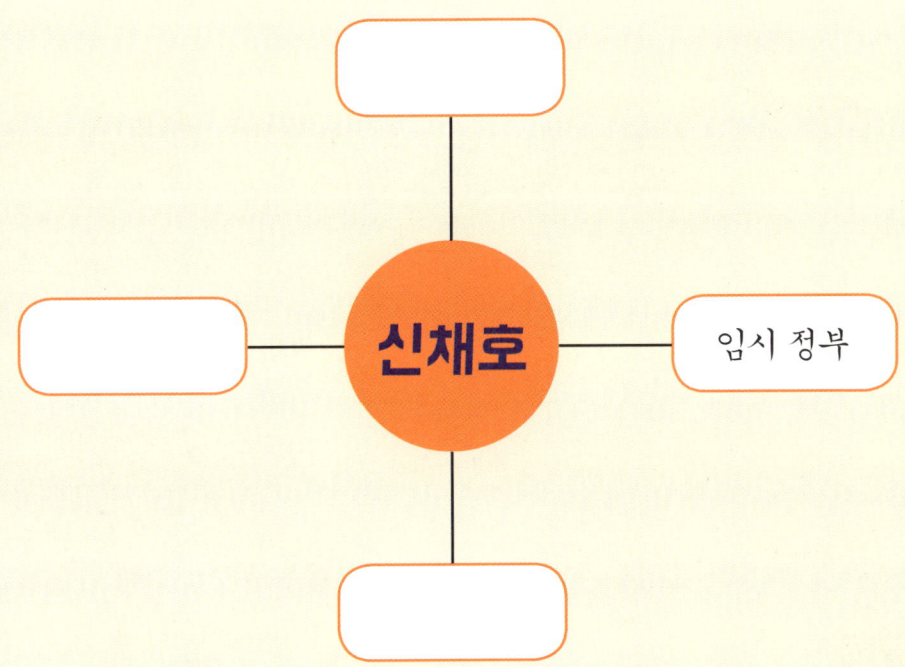

2 다음은 신채호가 저술했던 책과 관련된 내용입니다.

❶ 신채호의 저서와 알맞은 설명을 선으로 이어 보세요.

《용과 용의 대격전》 •　　　　　　• 우리나라 상고 시대의 역사를 다룬 책. 단군 조선부터 백제 멸망까지 서술했다.

《조선상고사》 •　　　　　　• 주인공 '한 놈'이 을지문덕과 강감찬 장군을 만나면서 역사에 대해 알아 간다는 내용이다.

《꿈하늘》 •　　　　　　• 동양의 용 '미리'와 서양의 용 '드래곤'의 대결. 민중을 억누르는 미리를 드래곤이 물리치고 승리한다는 내용이다.

❷ 신채호가 역사적인 영웅을 주인공으로 책을 쓴 이유는 무엇일까요?

《을지문덕전》
고구려 장수인 을지문덕의 영웅 전기이다.

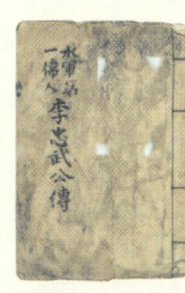

《수군 제일 위인 이순신전》
조선 시대 이순신 장군에 대한 역사 전기소설이다.

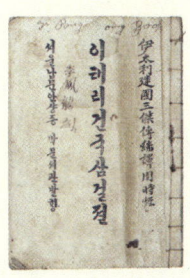

《이태리 건국 삼걸전》
량치차오의 《의태리 건국 삼걸전》을 번역하여 저술한 작품으로 18세기 이탈리아의 마치니, 카보우르, 가리발디 세 영웅의 일생을 그렸다.

❸ 신채호의 저서 중에서 읽어 보고 싶은 책을 고르고 그 이유를 이야기해 보세요.

3 다음은 일제 강점기 때 민족주의 역사학자들입니다.

❶ 박은식, 정인보, 신채호의 사상을 생각해 보고 그들의 주장을 말풍선에 써 보세요.

❷ 빈칸에 신채호에 대한 소개를 간단하게 써 보세요.

> 우리의 역사는 '얼'의 역사이다. '얼'은 변하지 않는다. 우리의 얼을 잊지 않도록 역사와 글을 보존해야 한다.

박은식

정인보

신채호

박은식: 역사학자, 언론인, 독립 운동가. 대한민국 임시 정부 제2대 대통령을 지냈다. 《동명왕실기》, 《발해태조건국지》, 《명림답부전》, 《한국통사》, 《한국독립운동지혈사》 등을 집필하였다.

정인보: 역사학자, 유학자, 교육자. 1910년 중국으로 망명하여 박은식, 신채호 등과 독립운동을 하고 교육과 계몽에 힘을 쏟았다. 3·1절, 제헌절, 광복절, 개천절 등의 국경일 노래의 가사를 썼다. 1950년 한국 전쟁 때 납북되었다. 《조선사연구》, 《양명학연론》 등을 집필했다.

❸ 민족주의 역사학자들은 역사를 연구할 때 무엇을 중요하게 생각했을까요?

깊이 생각하기

1 일본이 주장한 식민 사학에 대해 당시 조선인들은 어떤 생각을 했을까요?

> 일본이 주장한 식민 사학
> 정체성론 조선의 역사는 한 번도 스스로의 힘으로 발전한 적이 없다.
> 조선의 역사는 머물러 있는 역사다.
> 타율성론 조선 민족은 게으르고 단결할 줄 모르며 남에게 의존만 한다.

2 신채호를 우리나라 근대 역사학의 아버지라고 부르는 이유는 무엇일까요?

> 신채호는 우리나라 고대사를 주로 연구했다. 고조선, 고구려, 발해에 대해 집중 연구하면서 이전의 역사학자들과는 전혀 다른 주장을 했다.
> 신채호의 고대사 연구는 일본의 식민 사학자들에게 맞서기 위한 것이었다.
> 이전과 다르게 역사를 바라보고 설명했다.

3 신채호와 E.H.카의 역사에 대한 정의를 보고, 나는 역사가 무엇이라고 생각하는지 정의를 내려 보세요. 그리고 그렇게 정의한 이유를 써 보세요.

> 신채호: 역사는 아와 비아의 투쟁 기록이다.
> E.H.카: 역사는 과거와 현재의 끊임없는 대화이다.

역사는 _____ 이다.
왜냐하면

생각 펼치기

 시대별로 한국사 정리하기

우리 역사에서 가장 인상 깊은 사건이나 인물을 시대별로 선택하여 자신의 생각을 넣어 정리해 보세요. ([활동 자료9] 활용)

⭐ 각 시대에 해당하는 사건이나 인물을 써 보세요.

시대	사건 또는 인물
고조선	
고구려	
백제	
신라	
발해	
고려	
조선	

⭐ 위에서 그 시대를 대표하는 사건이나 인물 중 하나를 골라 [활동 자료9]에 쓰세요.

역사와 뛰놀기

나만의 역사책 만들기

생각 펼치기 에서 정리한 활동 자료를 이용해서 나만의 역사책을 만들어 보세요.

준비물
색도화지 1장(8절), [활동 자료9], 리본이나 끈 (50cm), 셀로판테이프, 펀치, 사인펜 또는 색연필

책 만드는 방법

① 색도화지를 반으로 자른 후, 점선대로 병풍처럼 접으세요.

② 셀로판테이프로 두 종이를 나란히 이어 붙이세요.

③ 정리한 [활동 자료9]를 병풍책에 붙이세요.

④ 표지를 꾸며 보세요.

⑤ 책 묶는 방법을 참고하여 책을 만들어 보세요.

책 묶는 방법

마지막에 매듭을 묶어 책을 완성하세요.

역사 공감하기

가신 님 단재의 영전에
_제문을 대신하여 곡하는 마음

밤도 깊어 가나 봅니다. 우리 식구가 깃들인 이 작은 방은 좁고 거칠은 문창이 달빛에 밝게 물들었습니다. 수범이 두범이도 다 잠이 들었소이다. 아까까지 내가 울면 따라 울더니만 인제 다 잊어버리고 평화스러운 꿈 세상에서 숨소리만 쌔근쌔근 높이고 있습니다. (중략)

당신과 만나기는 지금으로부터 17년 전 일이었습니다. 그때 당신은 39세요, 나는 스물네 살이었지요. 나는 연경대학에 재학 중이었고 당신은 무슨 일로 상해에서 북경에 오셨는지 모르나 어쨌든 나와 당신은 한평생을 같이 하자는 약속을 하게 되었던 것입니다. 그러나 당신은 두 해를 겨우 함께 살다가 다시 상해로 가시고 나는 두 살 먹이와 배 속에 다섯 달 되는 꿈틀거리는 생명을 품어 안고 몇 년을 떠나 있던 옛터를 찾게 되었지요. 그 뒤에는 편지로 겨우 소식이나 아는 것으로 위안을 삼으며 당신의 뜻이 이루어지기를 바랐습니다.

당신은 늘 말씀하셨지요. 나는 가정에 등한한 사람이니 미리 그렇게 알고 마음에 섭섭히 생각 말라고. 아무 철을 모르는 어린 생각에도 당신 얼굴에 나타나는 심각한 표정에 압도되어 "과연 내 남편은 한 가정보다도 더 큰 무엇을 위하여 싸우는 사람이구나." 하고, 당신 무릎 앞에 엎드린 일이 있지 않습니까? 그 열과 성의와 용기를 다 어떻게 했습니까? 영어의 몸이 되어서도 아홉 해를 두고 하루같이 오히려 내게 힘을 북돋아 주시던 당신이 아니었습니까? (중략)

정말 당신은 2월 21일 그날 오후 4시 20분에 영영 가 버리셨다고요. 당신의 괴로움과 분함과 설움과 원한을 담은 육체는 2월 22일 오전 11시 남의 나라 좁고 깨끗지 못한 화장터에서 작은 성냥 한 가지로 연기와 재로 변하고 말았습니다.

당신이여! 가신 영혼이나마 부디 편안이 잠드소서.

출전: 김삼웅 저, 《단재 신채호 평전》, 시대의창

단재 신채호의 부인 박자혜가 쓴 글이란다.
남편 신채호의 죽음을 슬퍼하는 아내의 마음을 잘 느낄 수 있어.

09 임시 정부의 밑거름이 된 이봉창과 윤봉길

이봉창 / 윤봉길

이봉창 (왼쪽)
- 의거에 실패했다
- 노동자 출신
- 수류탄을 던짐
- 서른두 살의 나이로 숨짐

공통
- 의사(義士)이다
- 한인애국단 소속
- ?
- 김구
- 1932년

윤봉길 (오른쪽)
- 의거에 성공했다
- 양반 출신
- 물통 폭탄을 던짐
- 스물다섯 살의 나이로 숨짐

두 사람의 마음속에 공통으로 자리 잡고 있었던 생각은 무엇일까?

097

생각 한 걸음

1 1932년 1월 8일 일본의 도쿄 경시청 앞에서 천황을 목표로 의거를 일으킨 사람은 누구인가요?

2 윤봉길이 천황의 생일날 중국 상하이 훙커우 공원에서 일본 육군 사령관을 숨지게 한 의거를 무엇이라고 부르나요?

3 '남화 연맹'의 회원이며, 상하이 훙커우 공원에서 윤봉길보다 먼저 거사를 일으키려 했으나 출입증을 구하지 못해 실패한 사람은 누구인가요?

4 상하이 임시 정부에 속해 있으며 일본의 주요 인물들을 암살하기 위해 만든 단체의 이름은 무엇인가요?

5 임시 정부의 주석으로 한인애국단과 광복군을 만들었으며, 이봉창의 의거에 대한 글인 《도쿄작안의 진상》을 쓴 사람은 누구인가요?

6 윤봉길, 이봉창, 백정기, 세 사람이 묻혀 있는 '삼의사의 묘'가 있는 곳은 어디인가요?

7 2차 세계 대전 당시 국내 진공 작전을 목표로 미국의 정보기관(OSS)의 협조를 받아 만든 광복군 소속 특수 부대의 이름은 무엇인가요?

생각 두 걸음

1 다음은 대한민국 임시 정부와 관련된 지도입니다.

❶ 임시 정부가 처음 수립된 곳에 동그라미 하고 임시 정부의 이동 경로를 선으로 그려 보세요.

❷ 임시 정부가 계속해서 근거지를 옮긴 이유는 무엇일까요?

❸ 《임시 헌장 10조》를 읽어 보고, 조선 시대와 달라진 점을 아래 빈칸에 써 보세요.

❹ 해방 후 몇 달이 지난 뒤, 조국에 돌아가게 된 임시 정부의 주요 인물들은 어떤 생각을 했을까요?

《임시 헌장 10조》

제1조 대한민국은 민주공화제로 함.
제2조 대한민국은 임시 정부가 임시 의정원의 결의에 의하여 이를 통치함.
제3조 대한민국의 인민은 남녀·빈부 및 계급 없이 일체 평등으로 함.
제4조 대한민국의 인민은 종교·언론·저작·출판·결사·집회·주소 이전·신체 및 소유의 자유를 향유함.
제5조 대한민국의 인민으로 공민 자격이 있는 자는 선거와 피선거권이 있음.
제6조 대한민국의 인민은 교육·납세 및 병역의 의무가 있음. (중략)

★민주공화제: 국민들이 투표를 해서 자신들의 의견을 펼치는 정치 형태

출처: 《한국근현대사사전》

1919년 4월 상하이 임시 정부 수립

2 다음은 한인애국단의 모습입니다.

❶ 한인애국단을 만들고 이끌었던 사람의 이름을 빈칸에 써 보세요.
❷ 한인애국단에 가입할 때 이력서를 쓰고, 태극기 앞에서 사진을 찍은 이유는 무엇일까요?
❸ 이봉창이 쓴 선언문을 소리를 내 읽어 보세요.
❹ 거사를 치르러 떠나기 전 윤봉길의 속마음을 말풍선에 써 보세요.
❺ 한인애국단에서 활동했던 사람의 명단이 남아 있지 않은 이유는 무엇일까요?

거사를 치르기 전 윤봉길

한인애국단 입단 후
최흥식과 유상근

이봉창과 선언문

나는 적성으로써 조국의
독립과 자유를 회복하기
위하야 한인애국단의 일원이
돼야 적의 수괴를
도륙하기로 맹세하나이다.

이덕주의 이력서

유진식의 이력서

3 다음은 한인애국단의 활동을 나타낸 지도입니다.

❶ 도쿄, 상하이에서 의거를 일으킨 사람의 이름을 써 보세요.
❷ 다음과 같이 많은 사람이 목숨을 바치며 의거를 일으킨 이유는 무엇일까요?
❸ 의거 소식을 전하는 사진과 신문 기사를 보고 어떤 생각이 드나요?

최흥식, 유상근 등이 다롄에서 일본 요인을 처단하는 의거를 계획했으나 발각되어 사형당하거나 순국했다.

이덕주, 유진식이 서울에서 조선 총독을 처단하는 의거를 계획했으나 황해도에서 체포당해 순국하거나 옥고를 치렀다.

㉠ 이 상하이에서 일본 요인을 처단하려고 물통 폭탄을 던져 성공한 후 총살당했다.

㉡ 이 도쿄에서 일본 천황을 처단하려고 수류탄을 던졌으나 실패한 후 사형당했다.

의거 후 연행되는 모습

체포된 후 일본 법정으로 들어가는 모습

폭발 사건이 발생하자 우리는 완전히 공황 상태에 빠져들었다. 사령대 부근에 있던 관중들이 난폭하게 범인으로 추정되는 사람을 제압하여 땅바닥에 내동이치는 모습이 보였다. 일본 헌병대가 군중들 사이에서 그를 끌어냈을 때는 얼굴부터 허리까지 선혈이 낭자한 모습이었다. 비록 중상을 입었지만 그의 얼굴에는 때때로 냉소가 흘러나왔다.

상하이에서 발행된 〈대만보〉(1932.4.30)

내무성 오후 5시 30분 발표에 의하면 금일 오전 11시 30분에 천황 폐하께옵서 관병식에서 환행하옵시는 길에 앵전문 외 경시청 앞에서 수척탄 같은 것을 던진 자가 있었는데 조선 경성 출생 이봉창(32)으로 일명 천산정일이라고 하는 토공이다.

〈동아일보〉 호외(1932.1.9)

깊이 생각하기

1 일본 천황이나 장군 한두 명을 죽인다 해서 독립을 이룰 수 있느냐는 이봉창의 물음에 김구는 다음과 같이 대답했습니다. 김구의 생각에 대해 여러분은 어떻게 생각하나요?

> 한두 번의 행동으로 조선이 바로 독립할 거라고는 생각하지 않지만 그 횟수를 반복하는 가운데 반드시 성공할 거라고 믿소. 이 선생을 제1의 희생자로 삼아 보내는 것이니 애국심을 바탕으로 반드시 목적을 이루시오. 이 선생과 같은 인격자가 나오면 뒤를 이어 계속해서 파견할 생각이오.

2 3·1 운동 후 중국 상하이에 만들어진 임시 정부는 나라를 되찾기 위해 여러 가지 활동을 했습니다. 임시 정부의 활동 중 가장 높이 평가하고 싶은 것은 무엇인가요? 이유와 함께 이야기해 보세요.

> 헌법 제정 독립을 위한 임시 정부의 임시 헌법으로 기본법을 만듦
> 연통제 시행 국내와의 연결을 위한 임시 정부의 비밀 연락원 활동
> 교통국 설치 정보의 수집과 분석 및 국내와의 연락 업무 담당
> 이륭양행(만주), 백산상회(부산) 개설 해외와 국내의 경제 활동 근거지로 삼음
> 〈독립신문〉 발간 독립운동 상황을 소상하게 보도, 식민 통치의 실상을 국내외에 알림
> 애국 공채 발행 독립운동 자금 마련
> 한인애국단 활동 일본 주요 인사들을 암살
> 광복군 결성 광복을 위한 임시 정부의 군대

3 식민지였던 나라가 국민의 힘으로 독립했을 경우와 다른 나라의 힘을 빌려 독립했을 경우, 독립 이후의 상황은 어떻게 달라질까요?

생각 펼치기

여덟 컷 만화 그리기

이봉창과 윤봉길의 의거 중 한 사건을 골라서 여덟 컷 만화를 그려 보세요.

1	2
3	4
5	6
7	8

역사와 뛰놀기

광복군 배지 만들기

두꺼운 종이와 옷핀을 이용해서 광복군 배지를 만들어 보세요.

준비물
두꺼운 종이, 옷핀, 풀, 가위, 자, 사인펜이나 색연필, 병뚜껑이나 컴퍼스, 셀로판테이프

광복군 배지

만드는 방법

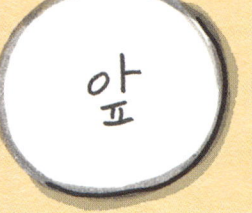
① 컴퍼스나 병뚜껑 등을 이용하여 지름 4cm 정도의 동그라미를 두 개 그린 다음 오리세요.

② 앞면에 그림을 그리세요.

③ 앞면과 뒷면을 풀로 붙이세요.

④ 뒷면에 옷핀을 놓고 셀로판테이프로 붙이세요.

⑤ 배지 완성!

역사 공감하기

충청남도 천안에 있는 독립기념관에 가봤니? 독립기념관은 이름 그대로 우리나라의 독립을 기념하기 위해 만들어진 곳이야.

독립기념관의 넓은 마당에서 우리 민족의 안녕과 비상을 상징하는 겨레의 탑을 만난 후, 앞으로 쭉 가면 전시관인 겨레의 집이 보일 거야. 겨레의 집은 7개의 전시관과 가상체험관, 영상관 등 다양한 전시 시설로 구성되어 있어.

개항 이후 우리나라에 닥친 여러 위기와 변화된 모습부터 일제 강점기에 우리 민족이 겪은 고통의 흔적들, 독립을 위해 몸 바쳐 활동한 독립 운동가들의 유품과 활동 당시의 모습을 재현해 놓은 밀랍 인형 등 다양한 전시물이 있단다.

특히 안중근의 단지 혈서 엽서, 유관순의 수형 기록표, 이봉창의 선서문, 이회영의 낡은 옷, 한국광복군의 서명이 가득한 태극기 등 하나하나 보고 있노라면 가슴이 뜨거워지는 것을 느낄 수 있을 거야. 참, 체험전시관과 4D 입체영상관은 홈페이지를 통해 미리 예약하고 가면 더 다양한 체험을 할 수 있으니 잊지 말고 먼저 독립기념관 홈페이지(https://www.i815.or.kr/kr)부터 둘러봐.

10 세계를 놀라게 한 조선인들

민족의 자부심을 갖고,
내가 할 수 있는 일에
최선을 다하는 것도
독립을 앞당기는
방법이 될 거야.

생각 한 걸음

1 제 11회 베를린 올림픽 마라톤 대회에서 금메달과 동메달을 딴 사람은 각각 누구인가요?

2 〈조선중앙일보〉와 〈동아일보〉가 손기정의 기사를 실으면서 가슴에 달린 일장기를 지워 버린 사건을 무엇이라고 하나요?

3 1947년 보스턴 마라톤 대회에 우리나라 이름으로 참가하여 우승한 사람은 누구인가요?

4 1938년부터 세계 여러 곳에서 공연을 한 무용가로 유럽의 평론가들에게 '세계적인 동양의 무희'라는 평가를 받은 사람은 누구인가요?

5 최승희의 남편인 안필승이 활동하던 예술가들의 단체는 무엇인가요?

6 북한으로 간 최승희가 창작하여 1951년 베를린 세계 청년 학생 축전에서 춤 부분 1등상을 받은 작품의 이름은 무엇인가요?

7 중국의 영화 잡지 《전성》에서 벌인 투표 행사에서 영화 황제로 뽑힌 사람은 누구인가요?

생각 두 걸음

1 일제 강점기 무렵 도시에 살던 사람들의 의, 식, 주와 관련된 내용입니다.

❶ 각 분야와 관련된 스티커를 알맞은 곳에 붙여 보세요. ([활동 자료4] 활용)

❷ 의, 식, 주의 변화 중 가장 큰 변화라고 생각하는 것은 무엇인가요?

❸ 새로운 외국 문물이 들어오면서 사람들의 생활모습은 크게 변했습니다. 이러한 생활의 변화에 대해서 그 당시 사람들은 어떤 생각을 했을까요?

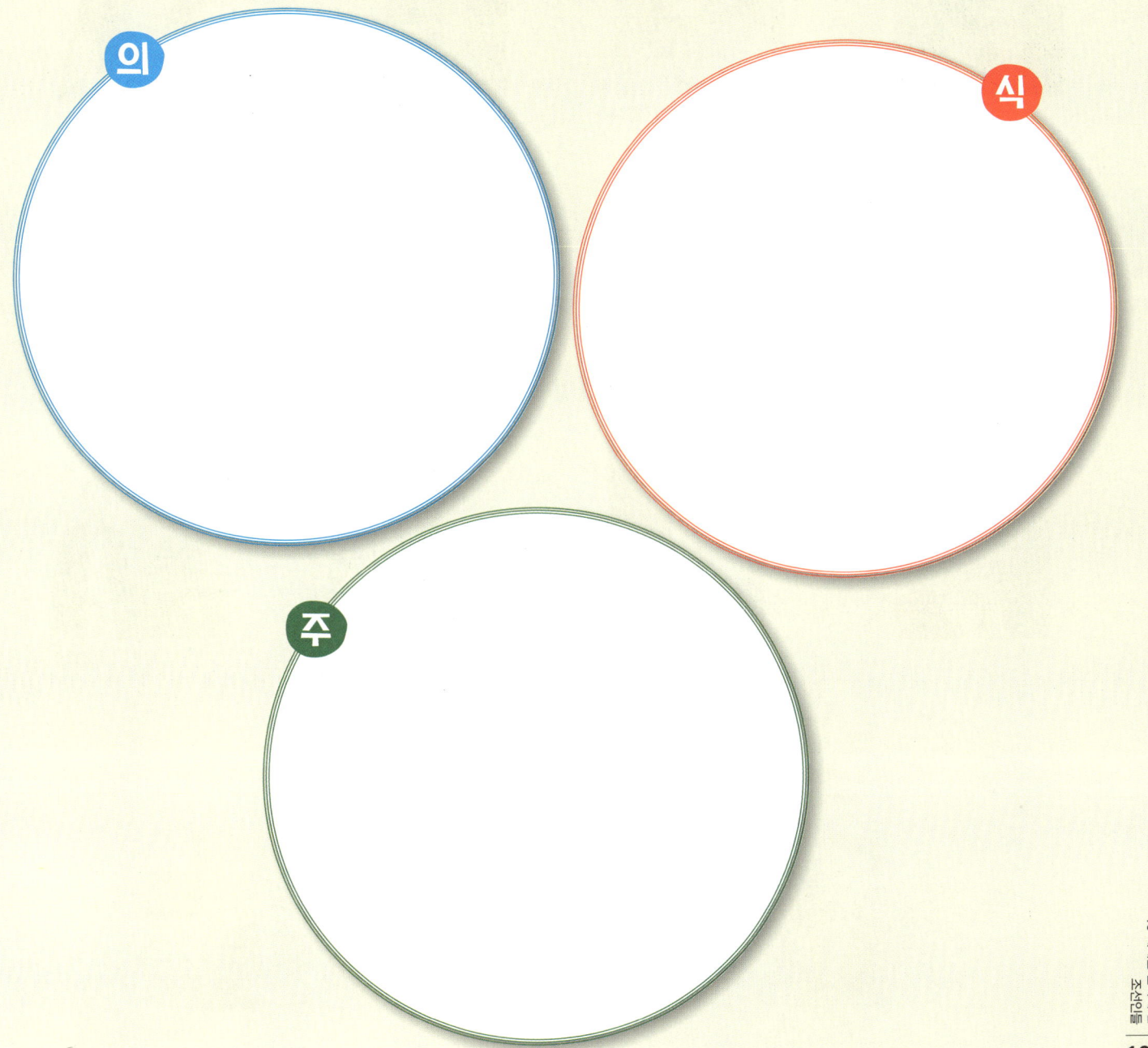

2 다음은 일제 강점기에 여러 분야에서 활약했던 인물들입니다.

❶ 빈칸에 해당하는 인물의 직업을 써 보세요.

안창남
일본 민간 비행사 시험에
1등으로 합격했다. 독립운동을
하다 비행기 사고로 29세에
숨을 거두었다.

엄복동
중국 다롄의 자전거 경주에서
1등을 했다. 2등은 일본인,
3등은 중국인이었다.

석주명
우리 땅의 나비를 연구하고
우리말로 나비 이름을 지었으며
한국 나비에 대한 잘못된
연구를 바로잡았다.

박에스더
남자 의사에게 몸을 보여 주기 꺼려
치료를 받지 못했던 여자 환자들을
치료했으며, 10년 동안 해마다
5000여 명의 환자를 돌보았다.

❷ 다음은 예술 분야에서 활약했던 사람들입니다. 인물과 관련된 그림을 연결해 보세요.

김염 　　　 윤심덕 　　　 나운규 　　　 나혜석

배우 　　　 성악가 　　　 화가

깊이 생각하기

1 다음 사람은 손기정과 최승희를 어떻게 생각했을까요?

최승희의 파리 공연 모습을 보고 그 모습을 그림으로 그렸다는 파블로 피카소

베를린 올림픽 공식 기록 영화에 손기정의 우승 장면을 실은 레니 리펜슈탈

2 일본은 손기정 가슴에 달린 일장기를 지운 사진을 실은 〈동아일보〉와 〈조선중앙일보〉의 발행을 정지시켰습니다. 일본이 이런 행동을 한 이유는 무엇인가요?

손기정의 가슴에 달린 일장기를 지운 사진

3 당시 조선 사람들은 과학, 예술, 운동 등 여러 분야에서 활약하는 조선 사람을 보고 어떤 생각을 했을까요?

생각 펼치기

 인터뷰하고 글 쓰기

일제 강점기에 활약한 운동선수나 예술가를 선택해서 인터뷰를 하고 글을 써 보세요.

> **예시**
>
>
> 나혜석
>
> 조선에서 가장 유명한 여성 서양화가이자 작가이기도 한 나혜석을 만나러 가는 길은 설레기만 했다. 조용한 찻집에 먼저 도착한 나는 커피 한 잔을 마시며 나혜석을 기다렸다. 베이지색 모직 코트를 입은 나혜석이 구두 소리를 또각또각 내며 내게 다가왔다.
>
> (중략)
>
> 화가가 된 까닭을 묻자, 어렸을 때부터 관찰하는 것을 좋아했다고 말했다. 몇 시간이고 꼼짝하지 않고, 무언가를 자세히 보는 것이 너무 재미있었고 나중에는 그것을 캔버스에 옮겼다고 했다. 나혜석은 그림만 잘 그리는 것이 아니라 글도 잘 쓰는데, 만약 화가와 작가 중 한 가지 직업만 선택해야 한다면 어떤 것을 선택할 것인지 물었다. 재미있는 질문이라고 생각했는지 나혜석은 크게 웃으며 당연히 화가라고 대답했다. 글과 그림 중 자신을 더 잘 표현할 수 있는 것이 그림이라는 대답이었다. 마지막으로 조선의 여성으로 살아간다는 것은 나혜석에게 어떤 것이냐는 질문을 던졌다. 갑자기 그녀는 심각해졌다. 그리고 이렇게 말했다. 나는 지금 이 순간까지 최선을 다했고, 내가 옳다고 생각하는 것을 굽히지 않았다. 조선의 여성으로서 당당히 살아간다면, 미래의 여성은 내 이름을 기억해 줄 것으로 생각한다는 말로 인터뷰를 마쳤다. 마지막으로 악수를 하며 잡은 나혜석의 손은 차가웠지만, 가슴은 뜨겁게 느껴졌다.

★ **다음 중 인터뷰하고 싶은 인물을 선택하세요.**

남승룡   손기정

최승희

김염

⭐ 인터뷰할 질문 6개를 만들어 간단하게 써 보고, 꼭 필요한 질문인지, 독자가 흥미를 느낄 수 있는 질문인지 생각해 보세요.

①
②
③
④
⑤
⑥

⭐ 4개의 질문을 선택하여 인터뷰를 상상해 보고, 그 내용을 글로 써 보세요.

역사와 뛰놀기

월계관 만들기

베를린 올림픽 대회에서 손기정 선수가 썼던 월계관을 상상하여 만들어 보세요.

준비물
일회용 종이 접시, 색종이, 풀, 가위

> 월계관: 월계수로 만든 관으로 명예와 영광을 뜻한다. 고대 그리스에서 경기의 승리자에게 명예의 관으로 씌워 주었다.

만드는 방법

① 색종이를 잘라 월계수 잎을 만드세요.

② 일회용 종이 접시의 가운데 부분을 잘라 내세요.

③ 접시의 가장자리 부분에 월계수 잎을 붙여 꾸며 주세요.

④ 다 만들었으면 머리에 써 보세요.

역사 공감하기

안녕, 난 조선 최초의 여의사 박에스더라고 해. 원래 이름은 김점동이었어. 어떻게 내가 조선 최초의 여의사가 되고 이름이 박에스더로 바뀌었는지 지금부터 이야기해 줄게.

나는 1876년 선비의 딸로 태어났어. 아버지는 나를 이화 학당에서 공부하도록 해 주셨어. 그 당시에는 딸이, 그것도 서양인 밑에서 공부하는 것을 허락하는 사람은 정말 흔치 않았단다. 나는 아버지 덕분에 이화 학당에서 영어를 배우고 서양의 학문을 공부했지. 얼마 뒤, 에스더라는 세례명도 받았단다.

어느 날, 서양인 의사가 진료하는 데 통역을 맡게 됐어. 처음에는 수술 장면이 무섭고 싫었지만, 시간이 지나면서 병을 치료하지 못해 고통받는 환자들을 돕고 싶은 마음이 생겼단다. 특히 조선의 여성들은 아픈 곳이 있어도 남자 의사에게 몸을 보일 수 없어 병을 키우는 경우가 많았어. 그런 여성들의 고통을 생각하니, 의사가 되고 싶다는 의지가 더욱 불타올랐지.

드디어 내 꿈을 이루기 위해 미국 유학을 가게 되었어. 내가 꿈을 이루는 데는 남편 박유산의 뒷바라지가 큰 힘이 되었지. 그리고 이때부터 김에스더가 아니라 박에스더가 되었어. 왜냐하면 서양에서는 여자가 결혼하면 남편의 성을 따라야 했거든. 미국에서 살게 된 나는 남편의 성을 따랐지.

유학 생활은 힘들었어. 내 학비를 대기 위해 남편은 열심히 일해야 했지. 그러다 내가 의대를 졸업하기 직전에 그만 폐결핵에 걸려 세상을 떠났단다. 나는 남편을 위해서라도 조선에 가서 아픈 사람들을 열심히 치료하기로 마음먹었어.

조선으로 돌아와 쉬지 않고 환자들을 치료했어. 환자가 있는 곳이라면 어디든지 달려갔지. 그래서였을까? 나도 남편처럼 폐결핵에 걸렸어. 병에 걸리지 않았다면 더 많은 사람을 치료할 수도 있었을 텐데 하는 아쉬움이 남긴 해. 하지만 후회되지는 않아. 난 내 꿈을 이뤘고, 많은 사람이 내 치료를 받고 웃을 수 있게 됐잖아.

내 이야기는 여기서 끝이란다. 이번엔 네 이야기를 들려줄래? 마음속에 간직한 너의 꿈 이야기 말이야.

11
끌려간 젊음과 비굴한 친일파

일본은 전쟁에서 반드시 승리할 것입니다. 징병, 창씨개명은 민족 차별을 없앨 수 있는 절호의 기회이니 적극 참여하십시오!

먹을 것도 제대로 주지 않고 일만 시키니 너무 힘들어.

일본이 일으킨 전쟁에 총알받이로 나가야 하다니 분하고 원통하다.

흑! 이렇게 떠나면 언제 부모님을 만나게 될까?

일본식으로 이름을 바꾸라니. 나라를 빼앗기더니 이제는 이름까지 빼앗기는구나!

당시 유명 작가나 예술가들이 친일 활동을 한 이유는 무엇일까? 그리고 이들은 해방 후 어떻게 되었을까?

생각 한 걸음

1 일본은 2차 세계 대전에 뛰어든 후 군사 시설에서 일할 노동자와 군인이 될 사람들을 조선에서 강제로 끌고 갔습니다. 이와 같이 강제로 노동자와 군인으로 끌고 간 것을 각각 무엇이라고 하나요?

2 평양 미림 비행장 학살 사건이 무엇인지 설명해 보세요.

3 일본이 일본군의 노리갯감으로 만들기 위해 강제로 끌고 간 15세에서 19세에 이르는 처녀들을 무엇이라고 하나요?

4 일본 편에 앞장서서 일본을 대변하며 자신의 이익과 출세를 얻은 사람들을 무엇이라고 부르나요?

5 조선 고유의 성과 이름을 버리고 일본식 성과 이름으로 바꾸는 것을 무엇이라고 하나요?

6 일본이 전쟁에 조선인들을 동원하기 위해 조선인과 일본인은 한 몸이라고 강조하며 조선인들에게 학교와 관공서에서 아침마다 외우게 한 맹세는 무엇인가요?

7 해방 후 친일파들을 처벌하기 위해 국회에서 만든 특별 조사 위원회의 이름은 무엇인가요?

생각 두 걸음

1 다음은 2차 세계 대전(1939~1945)과 관련된 지도입니다.

❶ 2차 세계 대전에서 서로 한편이 되어 싸웠던 나라의 영토를 같은 색으로 칠하고, 빈 곳에 당시 독일, 일본, 이탈리아의 지도자를 써 보세요.

❷ 2차 세계 대전 기간 중 일본이 아시아와 태평양에서 벌인 전쟁은 무엇인가요?

❸ 2차 세계 대전에는 세계 여러 나라가 참여했습니다. 두 나라가 전쟁을 하는 것과 여러 나라가 참여하여 전쟁을 하는 것은 무엇이 다를까요?

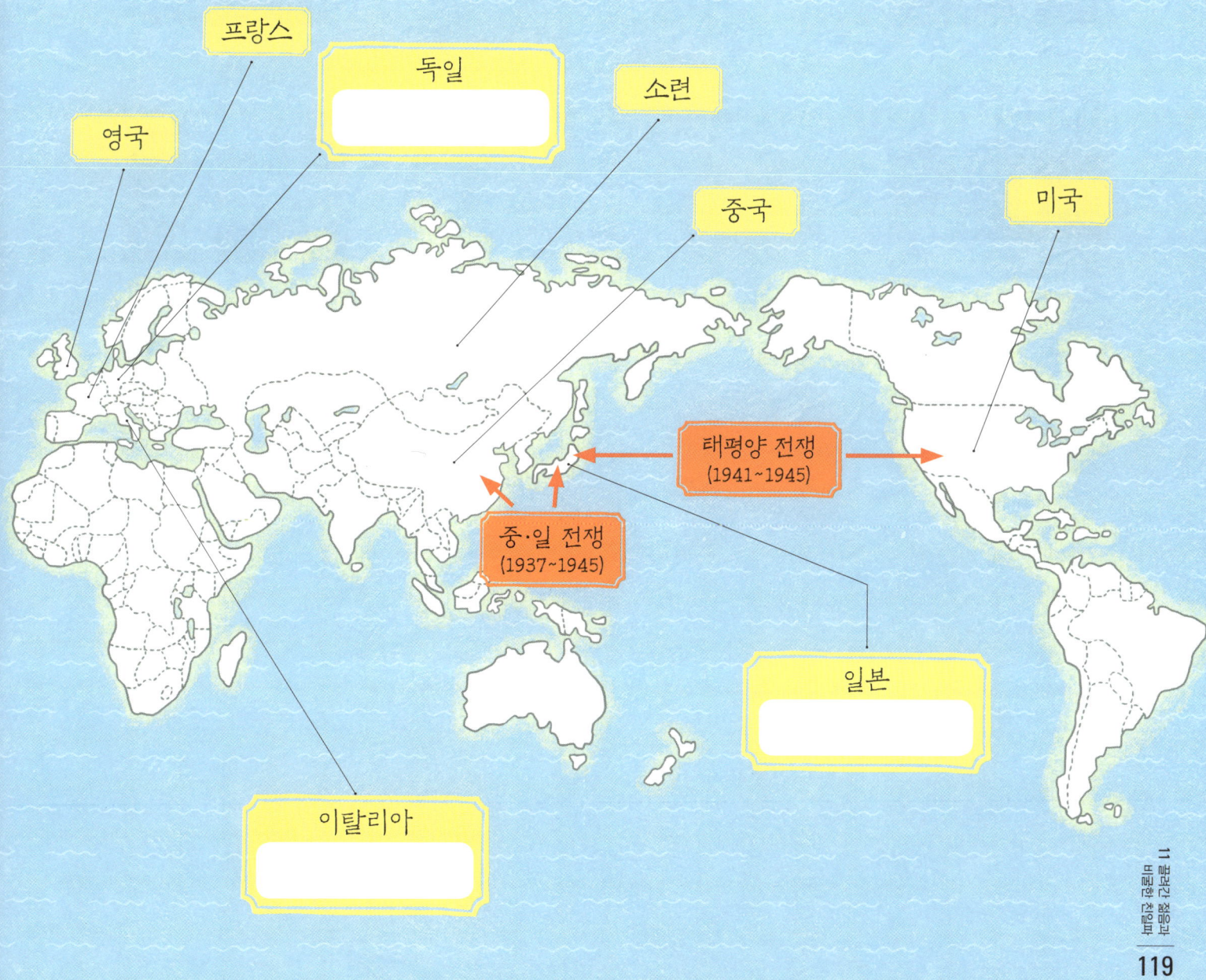

2 다음은 2차 세계 대전 당시 일본이 조선에 펼친 정책과 관련된 내용입니다.

❶ 단어와 관계있는 사진을 선으로 연결해 보세요.

❷ 일본이 조선에서 사람과 물자를 빼앗아 간 이유는 무엇이었을까요?

❸ 당시 유행한 민요를 보고 조선 사람들이 무엇을 힘들어 했을지 생각해 보세요.

신고산이 우루루 화물차 가는 소리에
지원병 보낸 어머니 가슴만 쥐어뜯고요.
어랑어랑 어허야
양곡 배급 적어서 콩깻묵만 먹고 사누나.

신고산이 우루루 화물차 가는 소리에
정신대 보낸 어머니 딸이 가엾어 울고요.
어랑어랑 어허야
풀만 씹는 어미 소 배가 고파서 우누나.

신고산이 우루루 화물차 가는 소리에
금붙이 쇠붙이 밥그릇마저
모조리 긁어 갔고요.
어랑어랑 어허야
이름 석 자 잃고서 족보만 들고 우누나.

민요 〈화물차 소리〉

3 다음은 일본에 도움을 준 조선의 유명 인사입니다.

❶ 각 사람들이 어떤 일을 했는지 읽어 보세요.

❷ 관리는 '관', 문학인은 '문', 경제인은 '경', 언론인은 '언' 이라고 쓰세요.

❸ 이들이 일본에 협조한 이유는 무엇일까요?

㉠
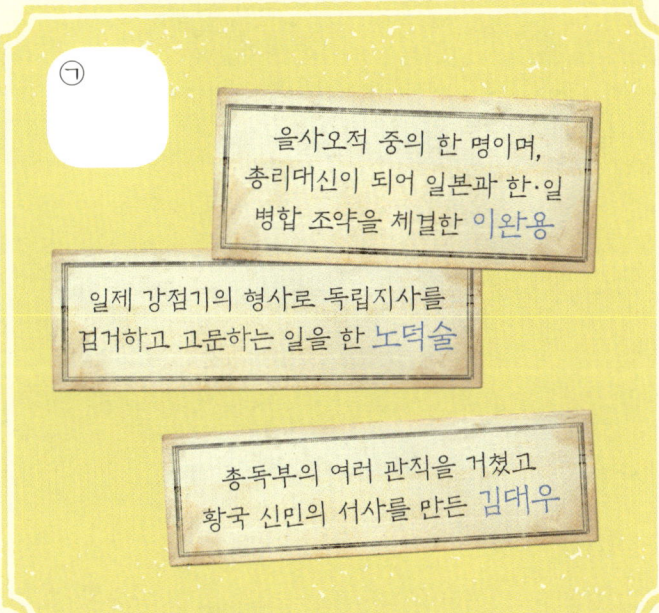
을사오적 중의 한 명이며, 총리대신이 되어 일본과 한·일 병합 조약을 체결한 이완용

일제 강점기의 형사로 독립지사를 검거하고 고문하는 일을 한 노덕술

총독부의 여러 관직을 거쳤고 황국 신민의 서사를 만든 김대우

㉡
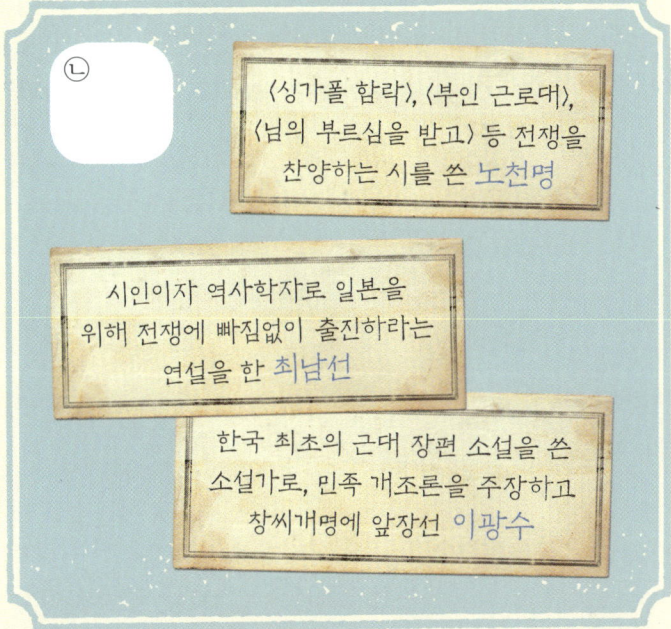
〈싱가폴 함락〉, 〈부인 근로대〉, 〈님의 부르심을 받고〉 등 전쟁을 찬양하는 시를 쓴 노천명

시인이자 역사학자로 일본을 위해 전쟁에 빠짐없이 출진하라는 연설을 한 최남선

한국 최초의 근대 장편 소설을 쓴 소설가로, 민족 개조론을 주장하고 창씨개명에 앞장선 이광수

㉢
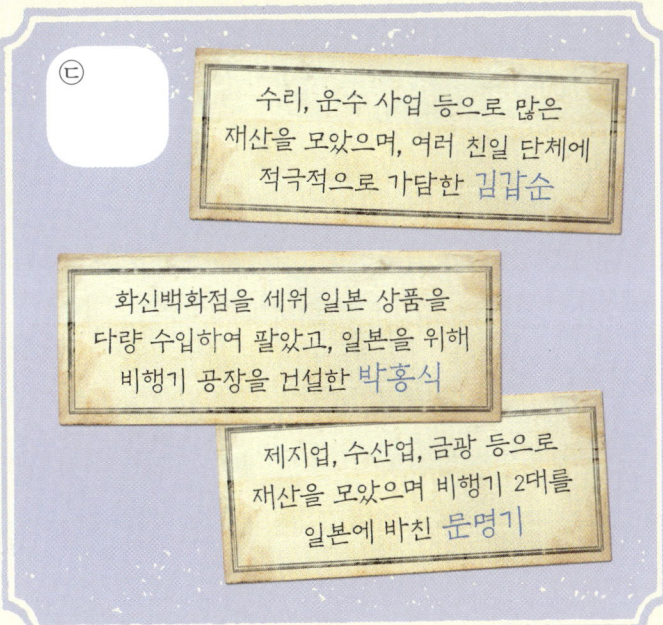
수리, 운수 사업 등으로 많은 재산을 모았으며, 여러 친일 단체에 적극적으로 가담한 김갑순

화신백화점을 세워 일본 상품을 다량 수입하여 팔았고, 일본을 위해 비행기 공장을 건설한 박흥식

제지업, 수산업, 금광 등으로 재산을 모았으며 비행기 2대를 일본에 바친 문명기

㉣
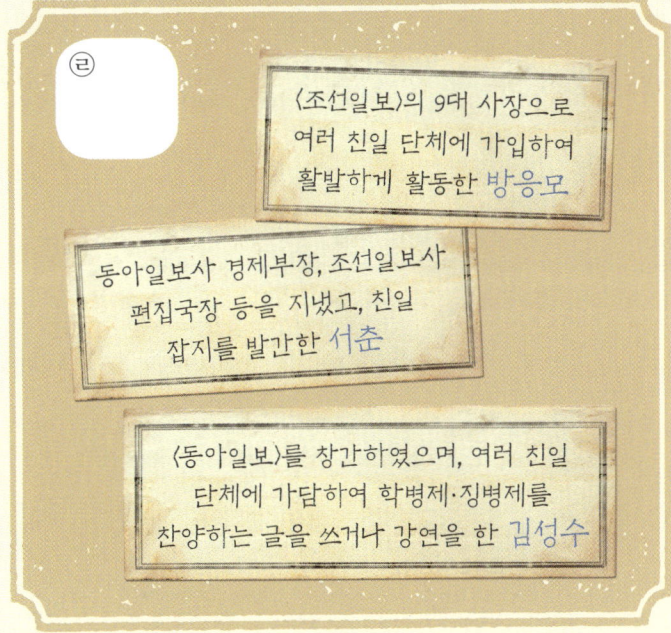
〈조선일보〉의 9대 사장으로 여러 친일 단체에 가입하여 활발하게 활동한 방응모

동아일보사 경제부장, 조선일보사 편집국장 등을 지냈고, 친일 잡지를 발간한 서춘

〈동아일보〉를 창간하였으며, 여러 친일 단체에 가담하여 학병제·징병제를 찬양하는 글을 쓰거나 강연을 한 김성수

깊이 생각하기

1 일본은 짧은 기간 동안 큰 전쟁을 계속해서 일으켰습니다. 일본이 이와 같은 전쟁을 계속 일으킨 이유는 무엇일까요?

만주 사변(1931년)
- 1차 세계 대전이 끝나고 일본의 경제와 정치가 안정되지 못함.
- 만주 북부에서 소련의 세력이 점점 커짐.
- 러·일 전쟁 뒤 만주에 머물러 있던 일본의 관동군이 만주를 침략하며 전쟁을 일으킴.

중·일 전쟁(1937년)
- 만주 지역에서 계속해서 항일 투쟁이 일어남.
- 만주 사변으로 군사 관련 공장들의 세력이 커짐.
- 국제 연맹이 만주에서 일본군 철수를 강력히 요구함.
- 중국의 화북 지방을 침략하며 중·일 전쟁을 일으킴.

태평양 전쟁(1941년)
- 2차 세계 대전을 틈타 일본이 동남아시아를 침략함.
- 일본이 동남아시아를 침략한 것에 대해 미국이 보복하자 일본이 하와이 진주만에 있는 미군 기지를 공격하며 태평양 전쟁을 일으킴.

2 일본은 1930년대부터 다음과 같은 식민 정책을 폈습니다. 일본이 우리 민족에게 이와 같은 민족 말살 정책을 실시한 이유는 무엇일까요?

- 매일 일본 국왕이 있는 곳을 향해 절을 한다. (궁성요배)
- 일본의 신에게 참배한다. (신사참배)
- 조선어를 사용하지 못하게 한다.
- 일본식 이름을 쓰도록 강요한다. (창씨개명)
- 매일 아침 학교와 관공서에서 일본 국왕에게 충성을 맹세한다. (황국 신민의 서사)

3 해방 직후 '반민족 행위 처벌법'과 '반민족 행위 특별 조사 위원회'가 만들어진 이유를 생각해 보고, 그 결과를 평가해 보세요.

생각 펼치기

 ### 애니메이션 보고 감상문 쓰기

일본군 위안부에 관한 다음 두 편의 애니메이션을 보고 감상문을 써 보세요.

〈소녀 이야기〉
(감독: 김준기, 2011)
★ 부모님과 함께 감상하세요.

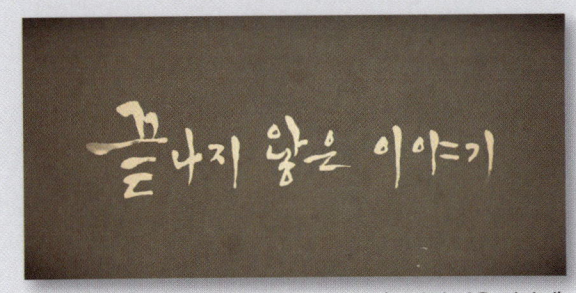

〈끝나지 않은 이야기〉
(제작: 엠라인스튜디오, 여성가족부, 2013)

★ 일본군 위안부 피해자 e-역사관 홈페이지에서
  감상할 수 있습니다. www.hermuseum.go.kr

역사와 뛰놀기

시 낭송하기

다음은 일제 강점기에 독립운동에 앞장섰던 사람들이 쓴 시입니다. 시를 읽어 보고 마음에 드는 시를 한 편 골라 낭송해 보세요.

님의 침묵
한용운

님은 갔습니다.
아아 사랑하는 나의 님은 갔습니다.
푸른 산빛을 깨치고 단풍나무 숲을 향하여 난 작은 길을 걸어서 차마 떨치고 갔습니다.
황금의 꽃같이 굳고 빛나던 옛 맹세는 차디찬 티끌이 되어서 한숨의 미풍(微風)에 날아갔습니다.
날카로운 첫 키스의 추억은 나의 운명의 지침(指針)을 돌려 놓고 뒷걸음쳐서 사라졌습니다.
나는 향기로운 님의 말소리에 귀먹고 꽃다운 님의 얼굴에 눈멀었습니다.
사랑도 사람의 일이라 만날 때에 미리 떠날 것을 염려하고 경계하지 아니한 것은 아니지만,
이별은 뜻밖의 일이 되고 놀란 가슴은 새로운 슬픔에 터집니다.
그러나 이별을 쓸데없는 눈물의 원천을 만들고 마는 것은, 스스로 사랑을 깨치는 것인 줄 아는
까닭에 걷잡을 수 없는 슬픔의 힘을 옮겨서 새 희망의 정수배기에 들어부었습니다.
우리는 만날 때에 떠날 것을 염려하는 것과 같이 떠날 때에 다시 만날 것을 믿습니다.
아아, 님은 갔지만은 나는 님을 보내지 아니하였습니다.
제 곡조를 못이기는 사랑의 노래는 님의 침묵을 휩싸고 돕니다.

출전: 《님의 침묵》(1926)

청포도 이육사

내 고장 칠월은
청포도가 익어 가는 시절

이 마을 전설이 주저리주저리 열리고
먼데 하늘이 꿈꾸며 알알이 들어와 박혀

하늘밑 푸른 바다가 가슴을 열고
흰 돛단배가 곱게 밀려서 오면

내가 바라는 손님은 고달픈 몸으로
청포를 입고 찾아온다고 했으니

내 그를 맞아 이 포도를 따 먹으면
두 손은 함뿍 적셔도 좋으련

아이야 우리 식탁엔 은쟁반에
하이얀 모시 수건을 마련해 두렴

출전: 《문장(文章)》(1939)

무서운 시간 윤동주

거 나를 부르는 것이 누구요

가랑잎 이파리 푸르러 나오는 그늘인데
나 아직 여기 호흡이 남아 있소.

한 번도 손들어 보지 못한 나를
손들어 표할 하늘도 없는 나를

어디에 내 한 몸 둘 하늘이 있어
나를 부르는 것이오.

일이 마치고 내 죽는 날 아침에는
서럽지도 않은 가랑잎이 떨어질 텐데……
나를 부르지 마오.

출전: 《하늘과 바람과 별과 시》(1948)

역사 공감하기

1965년 6월, 대한민국 정부와 일본 정부는 '한일 협정'에 사인을 했어. 해방 후 14년이 넘도록 풀리지 않던 한일 간의 문제가 일단락된 거야. 대한민국 정부는 일본에 더 이상 식민지 지배와 착취에 관련된 배상과 책임을 묻지 않는 대가로 일본으로부터 무상 3억 달러, 정부 차관 2억 달러, 민간 차관 1억 달러를 받기로 했어. 이 돈은 박정희 대통령이 주도한 경제 개발 계획의 자금으로 사용되었지. 그런데 이 금액은 애초 우리나라가 피해 보상으로 주장한 금액과는 상당히 차이가 나는 적은 액수였어. 그래도 이 돈을 받아 경제 개발에 힘쓸 수 있었으니 괜찮은 것 아니냐고?

배상 금액이 적은 것도 적은 것이지만, 한일 병합의 무효와 식민지 통치에 대한 일본의 사죄, 인적·물적 착취에 대한 시인과 그에 적절한 사죄와 보상이 먼저 되지 않았다는 것이 더 큰 문제야. 우리나라와 일본 사이에 풀리지 않는 과거사 논란 문제가 바로 여기에서 출발하는 거란다. 일본은 한일 협정으로 식민 통치에 대한 보상을 다 했다고 생각하는 것이고, 우리나라는 이제 다시 생각해 보니 충분하지도 적절하지도 않았다고 생각하게 된 것이지.

특히 징용·징병·종군 위안부 등으로 말로 표현할 수 없는 피해를 입은 700만이 넘는 우리 국민들 개인에 대한 피해 보상이 거의 이루어지지 않았단다. 광복 70년이 다 된 지금도 징용·징병·종군 위안부의 피해 보상을 요구하는 재판이 진행되고 있지만, 일본 정부와 일본 기업은 1965년 한일 협정으로 모든 보상이 끝났다고 시종일관 주장하고 있어. 현재 90세를 훌쩍 넘긴 피해자들이 살아생전에 일본에게 사죄와 적절한 보상을 받게 되는 날이 오게 될지 걱정이구나.

12 해방, 그러나 남북으로 갈린 나라

생각 한 걸음

1 일본의 히로시마와 나가사키에 원자 폭탄을 떨어뜨린 나라는 어디인가요?

2 일본이 항복하고, 우리나라가 해방을 맞은 날은 언제인가요?

3 일본이 항복 선언을 하자마자, 미국과 소련이 한반도를 남북으로 나눌 때 기준이 되었던 경계선은 무엇인가요?

4 국내에서 활동하고 있던 독립 운동가들이 1945년 8월 15일에 만든 건국 준비 단체는 무엇인가요?

5 1945년 12월 모스크바에서 미국, 영국, 소련의 세 나라 외무 장관들이 모여 한반도 문제에 대해 의논한 회의는 무엇인가요?

6 강대국들이 약소국을 대신 통치하는 것을 무엇이라고 하나요?

7 2차 세계 대전이 끝난 뒤 강대국들은 사회주의와 자본주의로 나뉘어 약 50년 동안 치열하게 대립했습니다. 이 시기를 '차가운 전쟁'의 시대라는 의미로 무엇이라고 부르나요?

생각 두 걸음

1 다음은 우리나라의 해방 당시 주변 국가의 정치 상황을 보여 주는 지도입니다.

❶ 1, 2차 원자 폭탄이 떨어진 일본의 두 도시 이름을 각각 써 보세요.

❷ 우리나라를 남과 북으로 나눈 38선을 따라 그려 보세요.

❸ 충칭에서 서울로 화살표를 긋고, '임시 정부 환국'이라고 쓰세요.

❹ 사회주의 국가 또는 소련군이 점령한 지역은 빨간색으로, 미군이 점령한 지역은 파란색으로 색칠해 보세요.

2 다음은 광복 전후 우리나라와 관련된 국제회의에 관한 내용입니다.

❶ 각 회의에 참여한 참가국을 스티커로 붙여 보세요. ([활동 자료3] 활용)
❷ 우리나라의 독립을 처음 이야기한 회의는 무엇인가요?
❸ 어떤 회의에서 우리나라의 신탁 통치가 처음 논의되었나요?
❹ 우리 국민이 신탁 통치에 찬성하는 '찬탁'과 반대하는 '반탁'으로 나뉘어 대립을 하게 된 결정적인 사건은 무엇인가요?

카이로 회담 (1943년 11월)
미국의 루즈벨트, 영국의 처칠, 중화민국의 장제스가 이집트 카이로에서 만나 일본의 무조건 항복을 요구하고 한국의 독립을 처음으로 논의.
참가국

얄타 회담 (1945년 2월)
미국의 루즈벨트, 영국의 처칠, 소련의 스탈린이 모여 소련의 대일 전쟁 참전을 약속하고 한국을 당장 독립시키지 말고 일정 기간 신탁 통치를 받게 하자고 논의.
참가국

포츠담 회담 (1945년 7월)
미국의 트루먼, 영국의 처칠, 중화민국의 장제스가 모여 독일의 전후 처리 문제를 결정하고 카이로 회담 내용을 재확인.
참가국

모스크바 삼상 회의 (1945년 12월)
미국, 영국, 소련의 외무 장관이 모여 한국에 대해 미국은 5년간 신탁 통치를, 소련은 임시 정부 수립을 주장.
참가국

3 다음은 해방을 맞이한 우리나라의 다양한 모습입니다.

❶ 사진에 어울리는 제목을 만들어 써 보세요.
❷ 사진 속의 사람들은 어떤 생각을 하고 있을지 상상해서 말풍선에 써 보세요.

떠나는 일본인들
ⓒ

ⓐ

해방을 맞은 우리나라 사람들

내리는 일본 국기, 올리는 미국 국기
ⓓ

ⓔ

김구
ⓑ

해방 경축 종합 경기에서 태극기를 들고 있는 손기정

깊이 생각하기

1 미국은 태평양 전쟁을 빨리 끝내기 위해 히로시마와 나가사키에 원자 폭탄을 떨어뜨렸습니다. 이 사건에 대해 나의 생각을 말해 보세요.

- 일본은 미국을 공격하여 태평양 전쟁을 일으켰다.
- 미국은 일본의 히로시마와 나가사키에 원자 폭탄을 떨어뜨렸고, 20여만 명이 목숨을 잃었다.
- 미국의 원자 폭탄 공격으로 일본은 항복을 하였다.
- 원자 폭탄이 터진 후 살아남은 생존자와 생존자의 2세, 3세들은 현재까지 육체적, 정신적 고통에 시달리고 있다.

2 해방이 되었을 때, 우리나라 사람들이 원했던 나라는 어떤 모습이었을까요?

3 다음은 모스크바 삼상 회의 후 우리나라에서 벌어진 상황입니다. 그 당시의 상황을 평가해 보세요.

- 모스크바 삼상 회의에서 먼저 임시 정부를 수립하고, 신탁 통치 문제는 나중에 협의하여 결정하기로 했다.
- 〈동아일보〉는 '소련은 신탁 통치 주장, 미국은 즉시 독립 주장'이라고 잘못된 기사를 보도했다.
- 모스크바 삼상 회의의 정확한 내용이 다시 보도되었으나 국민들의 관심을 받지 못했다.
- 전국적으로 신탁 통치 반대 운동이 일어났다.
- 그 후 신탁과 반탁으로 격렬하게 대립하고 좌익과 우익으로 나뉘어졌다.

생각 펼치기

✏️ 호외 쓰기

1945년 8월 15일 정오 우리나라는 해방이 되었습니다. 35년간 일본의 식민지가 되어 고통을 겪었던 당시 우리나라 사람에게 해방을 알리는 호외를 만들어 보세요.

> **호외란** 신문사가 돌발적인 사건, 사고, 재해, 스포츠 경기 결과 등 사람들의 관심도가 높은 소식을 재빨리 전달하기 위해 비정기적으로 만들어서 팔거나 나누어 주는 인쇄물이다.

여러 가지 호외

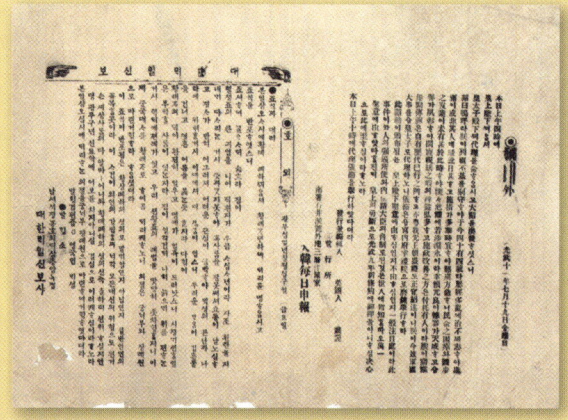

일제가 고종 황제를 강제 폐위한 일을 전한 호외
〈대한매일신보〉(1907년 7월 19일)

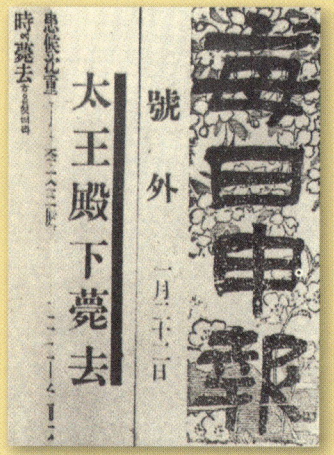

고종 황제의 승하 소식을 전한 호외
〈매일신보〉
(1919년 1월 22일)

인간이 달에 착륙한 소식을 전한 호외
〈동아일보〉
(1969년 7월 21일)

월드컵 경기 결과를 전한 호외
〈동아일보〉
(2002년 6월 22일)

⭐ 기사의 내용과 사진 등을 자유롭게 구성하여, 해방을 알리는 호외를 만들어 보세요.

역사와 뛰놀기

끝말잇기 게임하기

다음 단어를 사용하여 끝말잇기를 해 보세요.

독립-의존 / 애국자-매국노 /
사회주의-자본주의 / 우익-좌익 /
민주주의-독재 / 찬탁-반탁

게임 방법

1. 옆의 단어 묶음 중 하나를 고르세요.
2. 처음에 들어갈 단어와 마지막에 들어갈 단어를 끝말잇기 표에 쓰세요.
3. 동시에 끝말잇기를 시작해서 먼저 완성하는 사람이 이깁니다.
4. 단어를 바꾸어 여러 번 할 수 있어요.
5. 규칙을 정해서 게임을 해도 좋아요.
   예) 명사만 사용한다, 외래어도 사용할 수 있다 등

찬탁 - 탁구공 - 공장 - 장화

역사 공감하기

리틀 보이(little boy)와 팻 맨(fat man)

새로운 아이돌 그룹의 이름인가? 아니면, 동네에 새로 생긴 패밀리 레스토랑 이름인가?
리틀 보이는 1945년 8월 6일 히로시마에 떨어진 원자 폭탄의 이름이고, 팻 맨은 3일 뒤인 8월 9일, 나가사키에 떨어진 원자 폭탄의 이름이란다. 리틀 보이는 우라늄을 이용했고 그 모양이 길쭉한 반면, 팻 맨은 플루토늄을 이용했으며 둥근 모습을 하고 있었어. 리틀 보이와 팻 맨은 당시의 미국 대통령 루즈벨트와 영국의 총리 처칠의 별명이기도 했단다. 이름은 재미있지만, 그 결과는 끔찍했어. 리틀 보이 때문에 약 14만 명이 죽거나 다쳤고, 팻 맨 역시 비슷한 수의 사상자를 냈지.
현재 핵을 보유하고 있으며 폭발시킨 적이 있는 나라는 미국, 러시아, 프랑스, 중국, 영국이야. 그리고 인도, 파키스탄, 이스라엘 등은 핵무기를 보유하고 있다고 인정했지. 그들이 만든 무기는 어떤 이름으로 불릴까? 아무리 재미있는 이름을 붙였다 하더라도 절대 그 이름을 알게 되는 일은 없었으면 좋겠다.

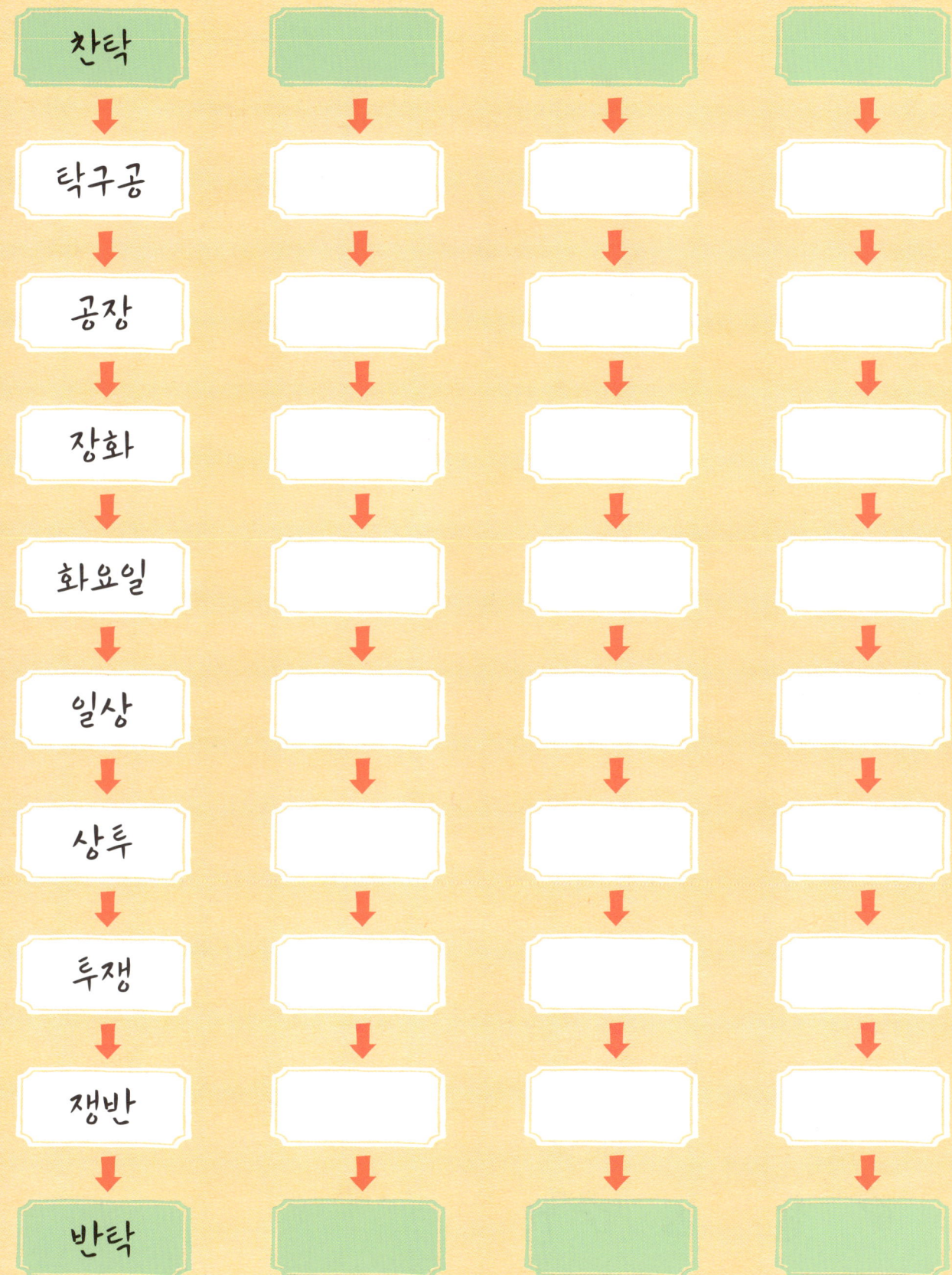

13

38선을 넘는 김구

생각 한 걸음

1. 2차 세계 대전이 끝난 뒤, 전쟁을 막고 세계 평화와 국제 협력을 이룬다는 목적 아래 창립된 국제기구는 무엇인가요?

2. 1948년 2월에 '삼천만 동포에게 읍고함'이라는 성명을 발표하여 남한만의 단독 정부 수립을 반대한 사람은 누구인가요?

3. 남한 단독 정부를 세우기 위한 우리 역사상 최초의 선거를 무엇이라고 부르나요?

4. 1946년 6월 3일에 이승만이 "남쪽만이라도 임시 정부 혹은 위원회 같은 것을 만들어 38선 이북에서 소련이 물러나도록 하자."는 말을 한 곳은 어디인가요?

5. 1948년 8월 15일에 남한에 세워진 정부와 1948년 9월 9일에 북한에 세워진 정부의 이름을 각각 써 보세요.

6. 1949년 6월 26일에 김구가 피살당한 곳은 어디인가요?

7. 제주도에서 일어난 4·3 항쟁은 무엇을 반대하며 시작되었나요?

생각 두 걸음

1 다음은 광복 후 당시 지도자들과 관련된 내용입니다.

❶ 빈칸에 알맞은 당시 지도자의 이름을 써 보세요.

❷ 좌익과 우익은 각각 어떤 사상을 지지했나요?

좌익		중도		우익	
㉠	박헌영	여운형	㉡	이승만	㉢
만주에서 독립운동을 했다. 북한의 조선 민주주의 인민 공화국의 주석이 되었다.	조선 공산당을 창립했다. 북한의 내각 부총리 겸 외무 장관을 지냈다.	초당의숙을 세우고, 신한청년당을 조직했다. 국내외에서 활발한 독립운동을 했다.	파리 강화 회의에 대표로 참석했다. 대한민국 임시 정부에서 여러 직책을 맡으며 독립운동을 했다.	독립협회에서 활동했고 미국에서 독립운동을 했다. 광복 후 우익 민주 진영 지도자로 활동했다. 대한민국의 초대 대통령이 되었다.	이봉창과 윤봉길 의거를 지휘했으며, 대한민국 임시 정부 주석을 지냈다. 광복 후에는 나라의 완전 자주 독립과 통일 정부 수립을 위해 노력했다.

❸ 다음은 광복 당시 지도자들에 대한 여론 조사 결과입니다. 여운형과 이승만의 지지도가 높았던 이유는 무엇일까요?

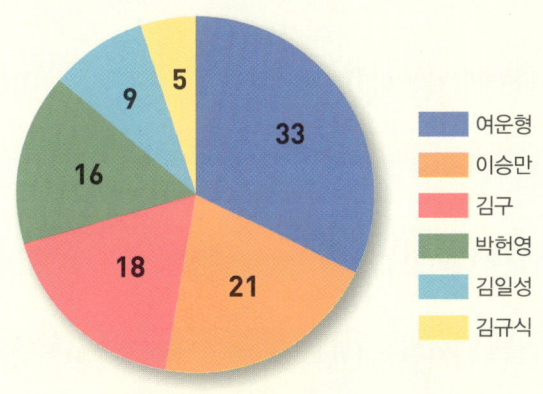

여운형 33
이승만 21
김구 18
박헌영 16
김일성 9
김규식 5

1945년 11월 '선구회' 조사(중복 선택 포함)

2. 다음은 광복 후 남한과 북한의 정부 수립 과정입니다.

❶ 아래 빈칸에 광복이 된 연도와 날짜를 써 보세요.
❷ 우리 민족의 처리 문제를 토의한 회의를 찾아 동그라미 해 보세요.

─ 〈동아일보〉 기사 보도
(1945.12.27)

"소련은 신탁 통치를 주장, 미국은 즉시 독립을 주장. 소련의 구실은 38선 분할 점령"

─ 광복

─ 한국 문제 유엔 상정
(1947.9.17)

─ 모스크바 삼상 회의
(1945.12.16)

─ 미·소 공동 위원회 1차
(1946.3.20)

─ 미·소 공동 위원회 2차
(1947.5.21)

─ 김구
'3천만 동포에게 읍고함'
(1948.2.10)

㉠

덕수궁에서 열린 1차 미·소 공동 위원회

❸ 5·10 총선거에서 투표를 하지 않은 지역은 어디인가요?

❹ ㉠, ㉡, ㉢에 각 역사적 사건을 표현할 수 있는 말을 써 보세요.

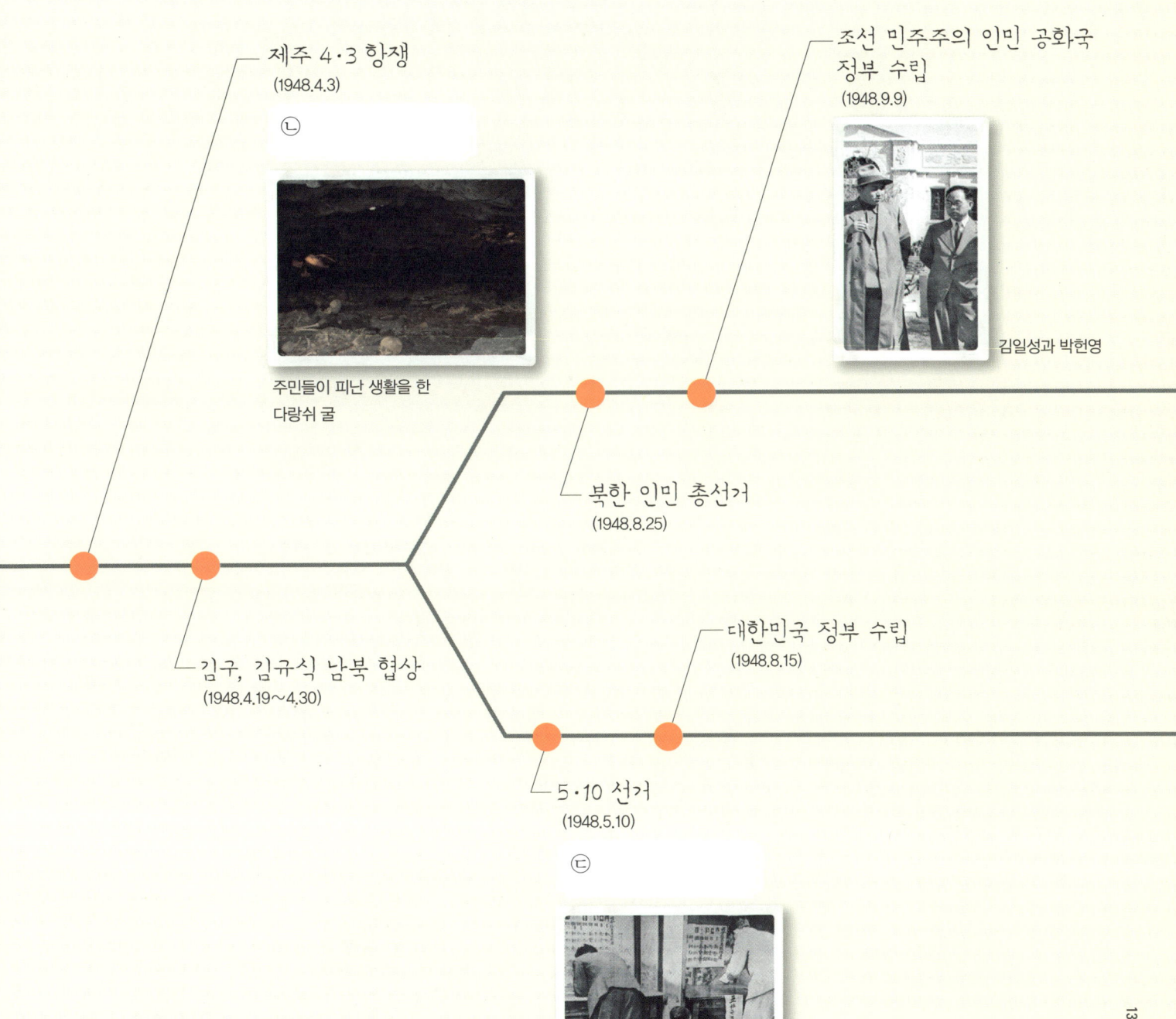

깊이 생각하기

1 미국은 해방 후 3년 동안 38선 이남 지역에 주둔하면서 여러 정책을 펼쳤습니다. 그중 미 군정의 다음과 같은 정책은 우리나라에 어떤 영향을 미쳤을까요?

- 3·1 운동 이후 우리 민족이 세운 임시 정부를 인정하지 않았다.
- 해방 직후 건국 사업에 나섰던 건국 준비 위원회를 불법화하고 해산시켰다.
- 미 군정에 의해 등용된 사람들은 미국 유학 경험이 있는 자들과 친일 관료 출신들이었다.
- 기존 총독부 경찰 체제를 유지·강화했고, 경찰 간부의 대다수가 친일파로 채워졌다.

2 김구와 이승만은 정부 수립에 대한 생각이 달랐습니다. 김구와 이승만의 주장에 대한 근거를 말풍선에 써 보세요.

> 통일 정부를 세워야 해.

> 남한만의 단독 정부를 세워야 해.

3 다음 지문을 읽고 5·10 선거를 정의해 보세요.

- 유엔 선거 감시 위원단이 들어갈 수 있는 38선 이남에서만 선거가 실시되었다.
- 선거권은 만 21세 이상 남녀 모든 국민에게 부여되었다.
- 피선거권은 만 25세 이상 모든 국민에게 인정되었다.
- 국회를 구성하기 위해서 실시한 첫 번째 국회 의원 선거였다.
- 최초의 보통, 평등 선거였다.
- 5·10 선거를 반대한 제주도 4·3 항쟁 때문에 제주도에서는 선거를 시행하지 못했다.
- 49개의 정당과 사회단체가 후보를 냈고, 입후보자 총 수의 44%는 무소속이었다.

5·10 선거는 _____ 이다.

생각 펼치기

김구의 신년사 요약하기

김구는 1948년 1월 1일, 새해를 맞이하여 신년사를 발표했습니다. 그 내용을 읽고 요약해 보세요.

> **요약하기** 글을 읽고 중요한 내용을 간추리는 것.
> **요약하는 방법**
> • 글의 핵심 단어나 핵심 문장을 찾는다.
> • 각 문단의 중심 내용을 찾으며 간단히 정리한다.
> • 각 문단의 중심 내용을 서로 연결하여 하나의 글을 만든다.

⭐ 다음 신년사를 각 문단의 중심 생각에 밑줄을 그으면서 읽어 보세요.

1문단
세월은 흘러 또 새해를 맞이하였지만, 전 세계에 평화의 봄빛은 없다. 더구나 우리 조국의 정세는 형언할 수 없는 비애가 있다. 38선은 그대로 막혀 있다. 농민은 농촌에서, 노동자는 공장에서 살길을 찾아 신음하고 있으며, 도시의 빈민과 소시민은 치솟는 물가와 식량난에 울고 있다. 탐욕스런 관리의 뇌물수수와 모리배의 간사한 행동은 계속되고 있다. 이로 인하여 인심은 불안하고 질서는 문란하다. 이것을 정당하게 해결할 권리는 물론, 능력까지 갖지 못한 내가 이러한 현실에 직면하여 붓을 든들 무슨 말을 할 수 있으랴.

2문단
그러나 우리에게 한 줄기 밝은 빛이 있으니, UN 위원단의 내한이다. 그들이 우리에게 약속한 대로 신탁 없고, 내정간섭 없고, 또 남북을 통한 총선거에 의하여 자주통일의 독립정부를 수립하도록 해 줄 뿐 아니라, 그 정부로 하여금 즉시 통치권을 결함 없이 행사할 수 있게 하고, 약속한 기일에 미소 양군이 철수한다면, 우리에게 이보다 더 큰 행복이 없을 것이다.

3문단
그러므로 우리는 잠시라도 모든 비애를 잊고 새해 새 손님을 기쁘게 맞이하는 동시에 최선을 다하여 그들과 공동 노력할 것이며, 수시로 우리의 정당한 주장을 발표하여 기어이 이를 관철하도록 하자. 따라서 우리가 기대하는 자주독립의 통일정부 수립을 위한 총선거가 실시된다면, 우리는 귀중한 한 표를 헛되이 버리지 말고 유효하게 던져야 한다. 어떤 환경 중에 있을지라도 절대 자유의사에 의하여 우리가 믿는 양심분자를 우리의 대표로 선출하지 못하면 우리의 비애는 의연히 소멸되지 않을 것이니, 심사숙고하여 투표하지 않으면 안 될 것이다.

4문단
그러나 여하히 총선거가 잘 진행되고 그에 의하여 우리가 희망하는 정부가 수립될 수 있다 할지라도, 우리 민족 자신의 단결이 없으면 모든 것이 물거품이 되고 말 것이다. 하늘은 스스로 돕는 자를 돕는다 하였으니, 우리는 마땅히 신년 벽두에 과거 1년 동안의 모든 과오를 깨끗이 청산하고 먼저 우리 민족끼리 단결하자.

출전: 김구 지음, 도진순 엮고 보탬, 《백범어록》_1948년 1월 1일 신년사 중에서, 돌베개

⭐ 각 문단의 중심 내용을 정리해 보세요.

	중심 내용
1문단	전 세계에 평화의 봄빛은 없다. 더구나 우리 조국의 정세는 표현할 수 없을 정도의 슬픔과 서러움이 있다.
2문단	
3문단	
4문단	

⭐ 위에 정리한 각 문단의 중심 내용을 연결하여 요약문을 써 보세요.

역사와 뛰놀기

호 만들기

우리 조상들은 이름 이외에 '호'를 통해 자기를 나타내기도 했습니다. 자신에게 어울리는 호를 지어 보세요.

> 호(號): 원래 이름 이외에 자신을 나타내기 위해 쓰이는 이름.
> 다른 사람과 허물없이 지내기 위해 쓰던 것으로 중국이나 한국에서 많이 지어 불렀다. 이름은 부모가 지어 주지만 호는 자신의 고향, 좋아하는 것, 성격 등 자신을 잘 나타낼 만한 뜻을 담아 직접 지었다.

백범 김구
白 흰 백 凡 무릇 범
천대받는 백정이나 평범한 사람들이 애국심을 가져야 나라의 독립이 이루어진다는 뜻.

우남 이승만
雩 기우제 우 南 남녘 남
이승만이 어린 시절을 보낸 서울 근처 우수현(雩守峴)의 지명에서 따온 이름.

몽양 여운형
夢 꿈 몽 陽 볕 양
'태양을 꿈꾼다.'는 의미로 여운형이 꿈꾸는 세상을 담고 있다.

가람 이병기
가람 강을 뜻하는 순 우리말
샘물이 모여 가람이 되고 바다로 가니 가람은 영원하며, 이 샘물 저 샘물을 모두 합하니 떳떳하고, 땅을 기름지게 한다는 뜻.

★ 한자와 한글 등 다양한 방법으로 나에게 어울릴 호를 짓고, 붓펜으로 써 보세요.
한자사전, 국어사전에서 좋은 의미의 단어를 찾아보는 것도 좋습니다.

이름		붓펜으로 호를 써 보세요.
호		
호의 뜻		

역사 공감하기

Declares that there has been established a lawful government(the government of ROK)having effective control and jurisdiction over that part of Korea where Temporary Commission was able to observe and consult and in which the great majority of the people of all Korea reside; that this government is based on elections which were a valid expression of the free will of the electorate of that part of Korea and which observed by Temporary Commission; and that is the only such Government in Korea.

갑자기 웬 영어냐고? 이건 1948년 5·10 선거가 끝난 뒤 12월에 유엔이 공표한 결의안 원문이야. 무슨 말인지 모르겠다고?

> UN 한국 임시 위원단이 총선거와 감시와 협의를 실시할 수 있었던 지역에서 효과적으로 통제 및 사법권을 보유한 합법 정부가 수립되었으며, 이 정부가 선거가 가능했던 한반도 지역 내에서 유일한 합법 정부임을 승인한다.
> _1948년 12월 12일 제3차 유엔 총회의 대한민국 정부 승인안 중에서

이 말은 선거가 가능하지 않았던 지역, 즉 38선 이북 지역에 대해서는 대한민국은 아무런 통제권도 법적 권한도 없다는 의미야. 만약 북한 정권이 무너지면 당연히 대한민국이 북한에 통치권을 행사할 수 있으리라 생각한다면 너무나 큰 착각이라는 얘기지. 김구가 남한만의 단독 선거를 그토록 반대한 것도 이런 상황을 예상했기 때문이었을까?

현대 사회는 나라 간의 예민한 문제를 국제법으로 처리하는 경우가 많단다. 국제 무대에서 우리가 처한 독도 문제나 북한 문제에 대해 현명하게 대처하려면 우리가 처해 있는 냉엄한 현실을 정확히 알고 있어야 하지 않겠니?

14 민족을 둘로 가른 전쟁, 6·25

북한은 1950년 6월 25일 남한을 공격했어.
6·25 전쟁이 일어난 거야.
전쟁은 어떻게 되었을까?
그리고 6·25 전쟁이 우리 민족에게 남긴 건 무엇이었을까?

생각 한 걸음

1 북한 인민군이 38도선을 넘어 남쪽의 개성, 의정부, 춘천, 강릉, 옹진 반도 방향으로 밀고 내려온 날은 몇 년 몇 월 며칠인가요?

2 6·25 전쟁 때 유엔군의 총사령관으로 임명된 사람은 누구인가요?

3 서울을 빼앗긴 이승만 정부가 임시 수도로 삼은 곳은 어디인가요?

4 인천 상륙 작전 이후 유엔군과 국군이 북한으로 진격하자 북한을 도와 참전한 나라는 어디인가요?

5 서울이 다시 인민군에게 넘어가자 유엔군과 국군은 남쪽으로 후퇴했습니다. 이것을 무엇이라고 하나요?

6 1953년 7월 27일 유엔군 대표 해리슨 소장과 북한 대표 남일 중장은 어떤 협정에 서명했나요?

7 6·25 전쟁 이후 우리나라에 머무르고 있는 주한 미군의 법적 지위에 대해 정해 놓은 여러 가지 법령과 규칙을 무엇이라고 하나요?

2. 다음은 6·25 전쟁과 관련된 사진들입니다. 사진을 보면서 질문에 대답해 보세요.

❶ 많은 사람들이 삶의 터전을 버리고 피난을 떠난 이유는 무엇일까요?
❷ 유엔군에게 포로로 잡힌 북한군은 어떻게 되었을까요?
❸ 물자가 부족한 상황에서 상인들은 어떤 물건을 사고팔았을까요?
❹ 전쟁이 끝난 후 고향으로 돌아온 사람들은 어떻게 살았을까요?

피난 가는 사람들

전쟁 포로들

전쟁 중에 열린 시장

전쟁 후 서울시 모습

❺ 사진 속 사람들은 어떤 생각을 하고 있었을까요? 말풍선에 써 보세요.

㉠

㉡

전쟁고아

학도병

㉢

㉣

㉤

군인들에게 주먹밥을 나눠 주는 모습

폭격 맞은 학교 건물 옆에서 수업하는 학생들

깊이 생각하기

1 다음은 6·25 전쟁이 일어나기 전 국내외 상황입니다. 6·25 전쟁이 일어난 가장 큰 이유는 무엇이라고 생각하나요?

- 남한은 '대한민국' 북한은 '조선 민주주의 인민 공화국'으로 각각 단독 정부를 수립했다.
- 북한은 소련, 중국과 협정을 맺었고, 소련의 스탈린은 북한의 무력 침공을 승인했다.
- 남한에 주둔하던 미군이 철수했고, 미국은 방어선에서 한국을 제외했다.

2 6·25 전쟁은 다음 나라에 어떤 영향을 끼쳤을지 써 보세요.

3 6·25 전쟁을 '대리 전쟁'이라고도 합니다. 다음 단어를 모두 사용해서 그 이유를 설명해 보세요.

냉전, 미국, 소련, 자본주의, 사회주의, 남한, 북한

생각 펼치기

 독후 감상문 쓰기

다음은 전쟁과 관련된 책입니다. 한 권을 선택해서 읽고 독후 감상문을 써 보세요.

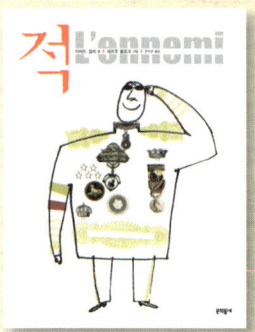

《적》
다비드 칼리 글, 안수연 역, 문학동네어린이
전쟁은 왜 일어나는지, 적에게 왜 총부리를 겨누어야 하는지, 적이란 과연 무엇인지를 생각해 보게 하는 책이다.

《힘센 사람이 이기는 건 이제 끝》
브리지뜨 라베·미셸 퓌엑 글, 김예숙 역, 소금창고
평화와 관련된 짧은 이야기들 속에서 평화가 필요한 이유를 생각해 볼 수 있는 책이다.

《할아버지의 뒤주》
이준호 글, 사계절
6·25 전쟁으로 인해 겪게 되는 분단의 아픔과 이산가족의 슬픔을 판타지 형식으로 그려 낸 책이다.

《몽실 언니》
권정생 글, 창비
주인공 몽실이의 삶을 통해 한국 현대사의 아픔을 느낄 수 있는 책이다.

역사와 뛰놀기

노래 감상하기

다음은 전쟁, 이산가족과 관련된 노래입니다. 노래의 가사를 잘 들어 보고 소감을 나눠 보세요.

- 전선야곡
- 삼팔선의 봄
- 전우가 남긴 한 마디
- 전우야 잘 자라
- 가거라 삼팔선
- 굳세어라 금순아
- 단장의 미아리 고개
- 잃어버린 30년
- 누가 이 사람을 모르시나요?

> 인터넷 검색창에 제목을 검색하면 노래를 들을 수 있어요.

〈굳세어라 금순아〉 가사

1절) 눈보라가 휘날리는 바람찬 흥남부두에
목을 놓아 불러 봤다 찾아를 봤다
금순아 어디로 가고 길을 잃고 헤매었던가
피눈물을 흘리면서 일사이후 나 홀로 왔다

2절) 일가친척 없는 몸이 지금은 무엇을 하나
이 내 몸은 국제시장 장사치기다
금순아 보고 싶구나 고향 꿈도 그리워진다
영도다리 난간 위에 초생달만 외로이 떴다

〈잃어버린 30년〉 가사

비가 오나 눈이 오나 바람이 부나
그리웠던 삼십 년 세월
의지할 곳 없는 이 몸
서러워하며 그 얼마나 울었던가요
우리 형제 이제라도 다시 만나서
못 다한 정 나누는데
어머님, 아버님, 그 어디에 계십니까
목메이게 불러 봅니다

역사 공감하기

6·25 전쟁 당시 실제로 겪은 이야기

내 나이 일곱 살 때였지. 북한이 남한으로 쳐들어왔다는 소문이 돌면서 온 동네가 뒤숭숭했어. 건장한 남자들은 애어른 할 것 없이 모두 잡아간다고 했어. 어머니는 부엌에서 쌀겨랑 보릿가루를 짓이겨 부리나케 개떡을 찌셨지. 어머니는 뜨거운 개떡을 보자기에 싸서 머리에 이고 앞장을 서셨어. 아버지와 남동생, 그리고 나는 빠른 걸음으로 내달리는 어머니를 따라서 뒷산으로 올라가 방공호에 몸을 숨겼지. 우리 가족은 며칠 동안 방공호 안에서 쥐 죽은 듯이 숨어 있었어. 아직도 난 개떡을 보면 그때 생각이 나.

_70세 장순연 할머니

나는 전쟁 통에 부모님과 가족들을 모두 잃어버렸어. 9남매의 맏아들이었던 나는 그때 여덟 살이었는데, 피난 행렬을 따라 가다 보니 발이 퉁퉁 부어서 더 이상 걸을 수가 없는 거야. 아버지는 걷지 못하는 나를 옆집 순이네 수레 위에 앉혔어. 그러고는 평택에서 만나자고 순이 아버지와 단단히 약속을 하셨지. 가족과 떨어져서 수레를 타고 한참을 가고 있는데, 갑자기 머리 위에서 폭격이 떨어졌어. 사람들은 도망치느라 난리가 났지. 순이 아버지는 나를 잊어버렸는지 수레를 끌던 소만 데리고 사라져 버렸단다. 수레 위에 홀로 남겨졌던 나는 남의 집에 수양아들로 들어갔다가, 일 년 만에 다시 가족을 찾을 수 있었지. 우리 어머니는 나를 잃어버리고 속병이 드셨다고 해.

_71세 정복남 할아버지

추운 겨울이었어. 우리 가족은 북한군을 피해서 한강다리를 건너가야 했어. 우리 어머니는 그때 자식들이 모두 다섯이었는데, 전쟁 통에 아버지랑 헤어졌기 때문에 홀몸으로 자식들을 데리고 피난을 다니셔야했지. 그런데 나는 그때 온몸에 부스럼이 너무 심해서, 기운이 없이 허약했고 눈도 잘 뜨지 못했어. 어머니는 내 다리에 힘이 풀릴 때마다 내 손목을 우악스럽게 그러쥐었어. 그때 어머니가 내 손목을 놓았다면 나는 지금 여기에 이렇게 살아 있지 못했겠지. 고생만 하신 우리 어머니, 그립습니다.

_80세 문임순 할머니

나는 전라도 나주 두메산골에서 살았어. 전쟁이 났다는 건 알았지만 자식들이 어렸기 때문에 피난은 꿈도 꾸지 못했지. 그런데 난 전쟁 통에 아침저녁으로 밥을 해 대느라고 아주 혼쭐이 났었어. 낮에는 정찰을 하는 남한 쪽의 국방군에게 밥을 차려 주고, 밤에는 산에서 내려온 북한 쪽의 인민군들에게 밥을 해 댔어. 반찬이라고 해 봐야 김치에 동치미 국물밖에는 없는데, 세상에나 그렇게 맛나게 먹을 수가 없어. 국방군 눈치 보랴 인민군 눈치 보랴 하루하루가 살얼음판 같았지만, 그래도 군인들 입으로 밥 들어가는 걸 보는 건 싫지 않았어.

_98세 배순임 할머니

인터뷰 글: 정현숙

15 경제 성장의 빛과 그늘

사계

작사·작곡 문승현

빨간 꽃 노란 꽃 꽃밭 가득 피어도
하얀 나비 꽃나비 담장 위에 날아도
따스한 봄바람이 불고 또 불어도
미싱은 잘도 도네 돌아가네

흰 구름 솜구름 탐스러운 애기구름
짧은 셔츠 짧은 치마 뜨거운 여름
소금땀 비지땀 흐르고 또 흘러도
미싱은 잘도 도네 돌아가네

저 하늘엔 별들이 밤새 빛나고

찬바람 소슬바람 산 너머 부는 바람
간밤에 편지 한 장 적어 실어 보내고
낙엽은 떨어지고 쌓이고 또 쌓여도
미싱은 잘도 도네 돌아가네

흰 눈이 온 세상에 소복소복 쌓이면
하얀 공장 하얀 불빛 새하얀 얼굴들
우리네 청춘이 저물고 저물도록
미싱은 잘도 도네 돌아가네

공장엔 작업등이 밤새 비추고

빨간 꽃 노란 꽃 꽃밭 가득피어도
하얀 나비 꽃나비 담장 위에 날아도
따스한 봄바람이 불고 또 불어도
미싱은 잘도 도네 돌아가네
미싱은 잘도 도네 돌아가네

노랫말 속에 등장하는 사람들에게는 사계절이 없어.
봄에도 여름에도 가을에도 겨울에도 미싱만 돌아간대.
사계가 의미 없는 생활은 어떤 생활일까.

생각 한 걸음

1 전쟁 후 미국으로부터 농산물을 무료로 공급받고 공장을 차릴 수 있도록 경제적인 도움을 받은 것을 무엇이라고 하나요?

2 1960년대 우리나라가 매우 빠른 속도로 경제 발전을 하게 되자 외국인들은 그런 우리나라를 무엇이라고 부르며 칭찬했나요?

3 단기간에 빠른 속도로 경제가 성장하는 것을 무엇이라고 하나요?

4 1970년대부터 시작된 지역 사회 개발 운동으로 농촌을 잘살게 하기 위해 시작한 운동은 무엇인가요?

5 평화 시장 재단사로, 자신의 몸을 희생하면서 노동자들의 고통스러운 처지를 세상에 알린 사람은 누구인가요?

6 노동자들의 근로 시간, 임금, 휴일과 휴가, 보상 등의 내용이 포함되어 있으며 노동자의 기본 생활을 보장하는 법은 무엇인가요?

7 한 국가나 사회 속에 여러 인종이나 민족의 문화가 함께 있는 사회를 무엇이라고 하나요?

생각 두 걸음

1 다음은 제1차 경제 개발 5개년 계획과 관련된 내용입니다.

❶ 다음 경제 개발 5개년 계획 도표에서 가장 흥미를 끄는 부분을 선택하고, 그 이유를 이야기해 보세요.

❷ 아래 도표에서 농업이 강조되고 있는 이유는 무엇일까요?

❸ 철도와 도로, 전력 개발은 경제 개발에 어떤 도움을 주었을까요?

❹ 당시에는 인구 감소를 위해 가족계획을 실시했습니다. 포스터를 참고하여 새로운 표어를 만들어 보세요.

> 경제 개발 5개년 계획은 1962년부터 1981까지 5년 단위로 4차에 걸쳐 정부 주도로 시행되었다. 1982년부터는 그 명칭이 경제 사회 발전 계획으로 바뀌었다.

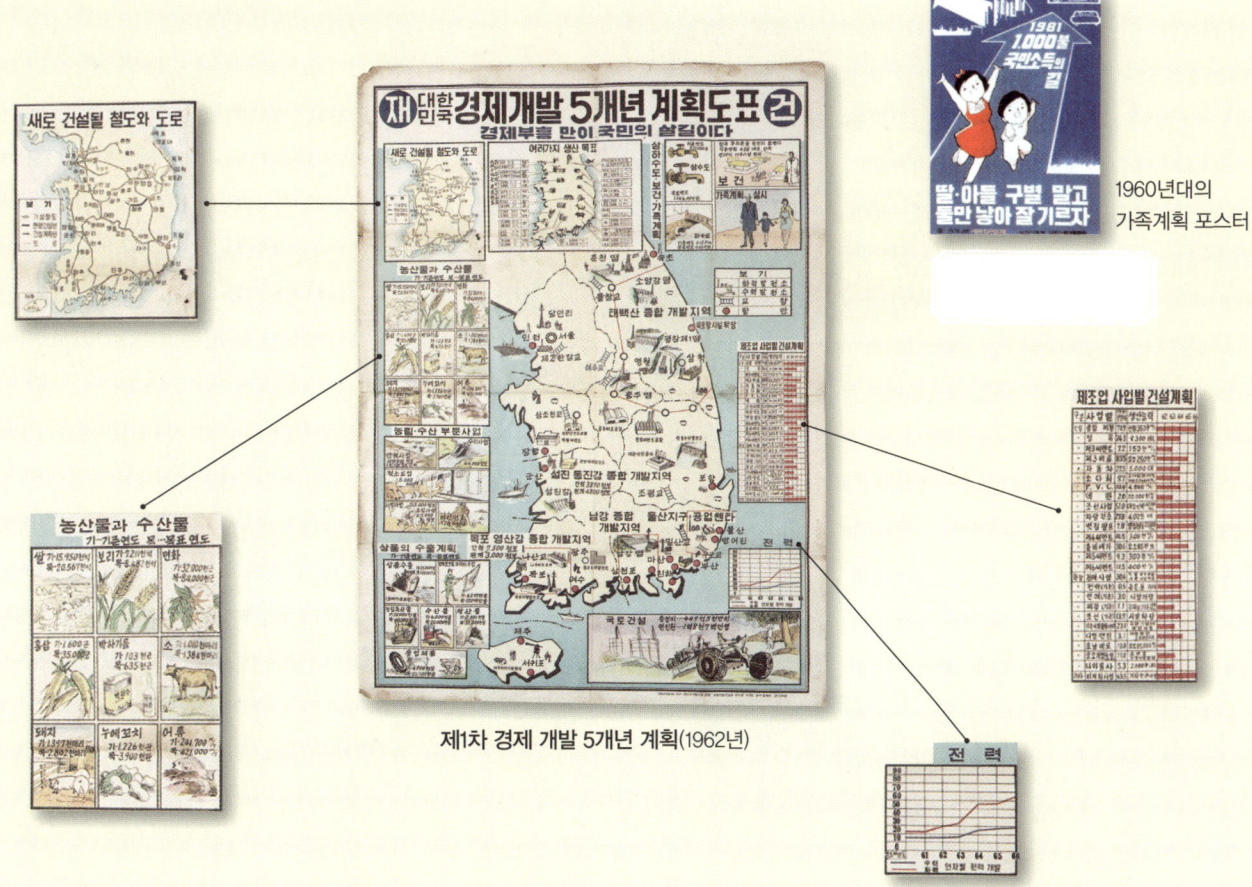

1960년대의 가족계획 포스터

제1차 경제 개발 5개년 계획(1962년)

2 다음 사진과 그래프 등의 자료를 보고, 경제 개발의 성과라고 생각하는 것은 파란색으로, 무리한 개발의 부작용이라고 생각하는 것은 빨간색으로 동그라미 한 후 그렇게 선택한 이유를 이야기해 보세요.

1970년대 무허가 판자촌

1970년 경부 고속도로 개통

1977년 최초 국산 고유 모델 자동차 생산
(현대자동차 포니, 이일혁 소장)

1979년 포항제철 완공

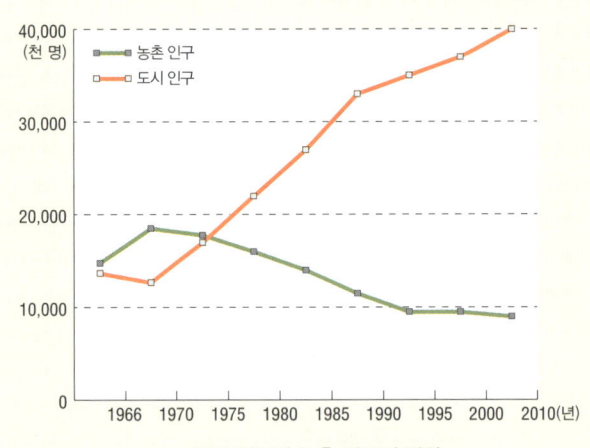
도시 인구와 농촌 인구의 변화

경제 개발 계획과 1인당 국민 소득 추이
자료: 한국은행, 통계청(2010년 기준)

산업	상위 3개사 시장 점유율
설탕	100% 점유
맥주	100% 점유
담배	99.8% 점유
화물차	99.7% 점유
판유리	98.1% 점유

주요 독과점 구조 유지 산업 현황
자료: 공정거래위원회(2010년 기준)

3 1960년대 이후의 경제 상황과 관련된 사진입니다. 다음 사진에 제목과 말풍선을 채워 넣으세요.

㉠

㉡

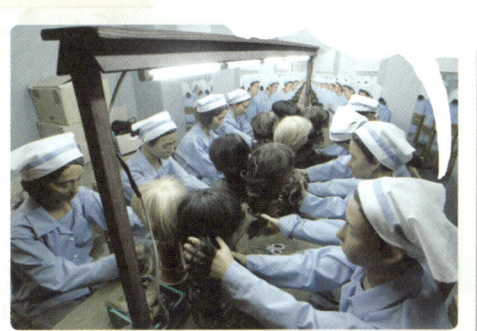

㉢

㉣

㉤

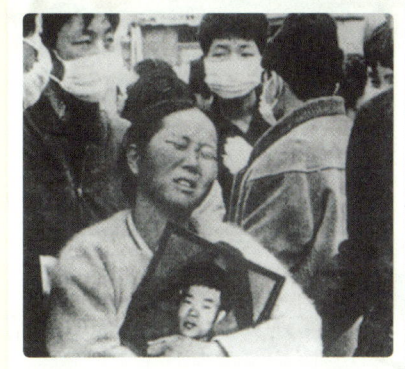

깊이 생각하기

1 우리나라 경제가 빠르게 성장한 것은 1960년대부터였습니다. 이 시기에 우리나라 경제가 고도성장한 이유는 무엇인가요?

2 우리나라는 일하는 사람들을 위한 근로 기준법이 헌법에 포함되어 있습니다. 근로 기준법이 필요한 이유는 무엇일까요?

> 우리나라의 근로 기준법은 1953년 5월에 만들어졌다. 이 법이 정한 근로 조건은 최저 기준이다. 내용은 근로 시간, 임금, 휴일과 휴가, 해고, 일하다가 다쳤을 때의 보상, 안전과 보건, 기숙사, 노동조합, 벌칙 등 총 12장으로 구성되어 있다.

3 이 단원의 제목은 '경제 성장의 빛과 그늘'입니다. 제목에서 '빛과 그늘'은 구체적으로 무엇을 의미하는지 자신의 생각을 간단하게 정리해 보세요.

생각 펼치기

 논술문 쓰기1 (개요 짜고 본론 쓰기)

논술문을 쓰기 위한 개요를 짜 보고, 그중 본론 부분을 완성된 글로 써 보세요.

논술이란 어떤 문제에 대해 자신의 주장이나 생각을 논리적으로 풀어서 서술하는 것을 말한다.

논술하는 순서
① 주어진 논제를 파악한다.
② 논제에 대한 나의 주장을 정하고, 주장을 뒷받침할 근거를 생각한다.
③ 개요 짜기를 한다.
④ 서론, 본론, 결론 형식으로 글쓰기를 한다.
⑤ 글을 다듬는다.

개요 짜기란 한 편의 글을 쓰기 위해 생각을 정리하고, 글감을 서론, 본론, 결론에 배치하여 표로 나타낸 것을 말한다. 글쓰기의 설계도라고 할 수 있다.

개요 짜는 방법
① 주장(주제)을 정한다.
② 쓰고자 하는 내용을 서론, 본론, 결론으로 구분하여 간단하게 정리한다.
③ 개요를 짜고 난 뒤에 순서가 알맞은지, 한 가지 주제로 일관되게 썼는지 등을 검토한다.

논제

국가, 단체, 학교, 가정 등 사람들이 여럿 모인 곳에는 구성원이 지켜야 할 규칙이 있습니다. 규칙은 언제나 반드시 지켜져야 한다는 견해가 있고, 그렇지 않다는 견해가 있습니다. 자신의 입장을 선택하여 논술하세요.

⭐ 논제에 대한 내 주장을 정해서 써 보세요.

⭐ 개요 짜는 방법에 따라 개요를 짜고, 개요표를 참고해 본론을 완성해 보세요.

개요 짜기

서론 논제를 정확하게 파악하여 문제를 제기	
본론 자신의 주장을 뒷받침할 사실이나 예시를 제시하며 주장을 펼치기	본론 1 – 내 입장과 근거 써 보기
	본론2 – 반론을 예상해서 써 보기
	본론3 – 재반론을 예상해서 써 보기
결론 주요 내용을 요약하면서 마무리 짓기	

본론 쓰기

역사와 뛰놀기

다문화 보드게임하기

보드게임을 하면서 여러 나라에 대해 알아보세요.

준비물
말, 주사위, 다문화 퀴즈 카드, 게임판 ([활동 자료8, 11] 활용)

방법
1. [활동 자료8]의 다문화 퀴즈 카드와 [활동 자료11]의 게임판을 오리세요.
2. 가위, 바위, 보를 해서 순서를 정합니다.
3. 주사위를 던져 수가 나온 만큼 게임 말을 앞으로 움직입니다.
4. 나라 이름에 걸리면 문제 카드를 뽑아서 문제를 맞힙니다. 답을 못 맞히면 다시 제자리로 돌아가세요.
5. 지구 모양에 걸리면 한 번 쉬세요.
6. 한 바퀴를 돌고 먼저 도착하는 사람이 이깁니다.

다문화 사회란 한 국가나 한 사회 속에 여러 민족과 인종이 함께 모여 살면서 여러 문화가 함께 존재하는 사회를 뜻한다.

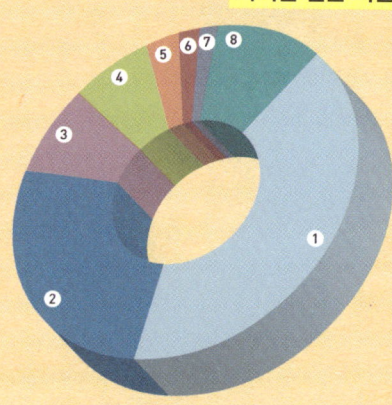

국적별 결혼 이민자 현황
1. 중국 41.4%
2. 베트남 26.4%
3. 일본 8.1%
4. 필리핀 6.9%
5. 캄보디아 3.1%
6. 타이 1.8%
7. 몽골 1.6%
8. 기타 10.8%

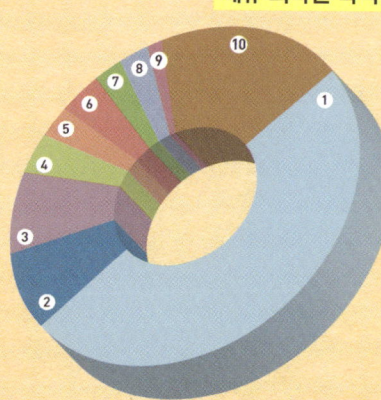

체류 외국인 국적별 구성 현황
1. 중국(한국계 포함) 49.4%
2. 미국 8.5%
3. 베트남 7.6%
4. 일본 3.6%
5. 필리핀 3.0%
6. 타이 3.5%
7. 인도네시아 2.6%
8. 우즈베키스탄 2.4%
9. 캄보디아 2.0%
10. 기타 13.4%

출처: 2013 출입국·외국인 통계 연보(법무부 출입국 외국인 정책 본부)

역사 공감하기

1970년 베트남의 지안에서 태어난 린은 아빠에 대한 기억이 없습니다. 엄마가 보여 준 사진 속에서 갓 태어난 자신을 안고 환하게 웃고 있는 아빠의 얼굴을 기억할 뿐입니다. 린이 조금 자라서 아빠에 대해 물었을 때, 엄마는 "한국에 간 아빠가 언젠간 우리를 데리러 올거야. 조금만 기다리자."라고 말하며 린을 달랬습니다. 린이 학교에 다닐 때, 친구들이 "라이따이한"이라 부르며 놀렸지만, 린은 아빠가 곧 돌아올 것이라는 희망으로 친구들의 놀림을 참았습니다. 하지만 아빠는 40년이 지나도록 소식이 없습니다. 그런 아빠를 기다리며 어렵게 어렵게 린을 키워 낸 엄마는 지금 많이 아픕니다.

라이따이한 베트남 전쟁에 참전했던 한국인과 베트남 여인 사이에서 태어난 사람들.

6·25 전쟁이 끝난 지 십 여 년 후 우리나라는 또 한 번의 전쟁을 치러야 했어. 바로 베트남 전쟁이야. 미국은 공산주의 세력이 커지는 것을 막기 위해 베트남 전쟁에 참전했어. 그러면서 우리나라에 군대 지원을 요구했단다. 그동안 미국으로부터 많은 도움을 받았던 우리나라는 그 요구를 거절할 수 없었어. 파병의 대가로 우리나라는 미국으로부터 경제 개발에 필요한 돈을 빌릴 수 있었어.

그렇게 우리나라에서 베트남으로 파병된 인원이 1965년부터 전쟁이 끝난 1973년까지 30만 명이 넘고, 그중 5000명이 넘는 사람이 전사했어.

라이따이한은 베트남에 파병된 한국 남자가 현지에서 만난 베트남 여자와 결혼하면서 생긴 한인 2세를 부르는 말이야. 하지만 전쟁이 끝나면서 파병된 사람들은 서둘러 귀국했고, 그 과정에서 베트남 현지에 있는 부인과 자식은 제대로 챙기지 못했단다. 그렇게 베트남에 남겨진 라이따이한이 적게는 3000여 명에서 많게는 1만 명 정도가 된다고 해.

40여 년이 지난 지금, 그동안 자식을 찾으러 베트남에 간 한국인들도 있지만, 상당수의 라이따이한은 아버지를 그리워하며 베트남에서 어려운 삶을 살고 있단다. 우리 현대사의 잊혀진 그림자인 라이따이한들에게 어서 빨리 따뜻한 빛이 비춰지면 좋겠다.

16 민주주의를 위하여

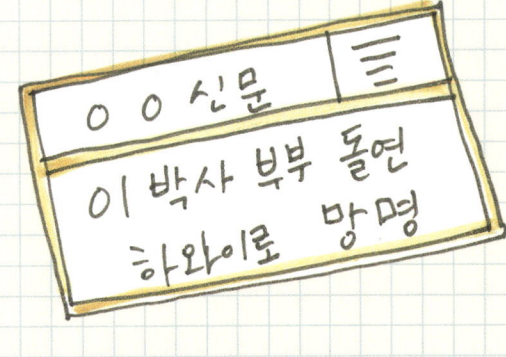

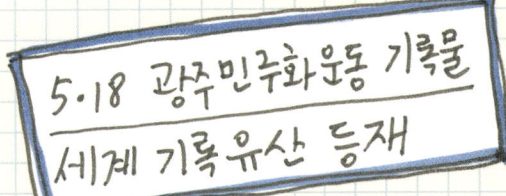

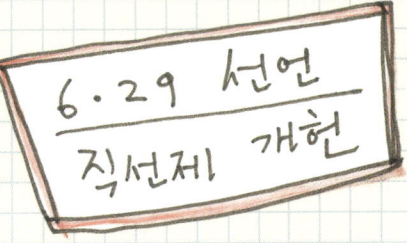

우리나라의 민주주의는 어떤 길을 걸어왔을까?
민주주의를 지켜 내기 위해 우리 국민들은 어떤 일을 했을까?

생각 한 걸음

1 국민을 무시하고 권력자가 마음대로 나라를 좌지우지하는 정치를 무엇이라고 하나요?

2 3·15 부정 선거에 항의하는 시위가 처음 일어난 곳은 어디인가요?

3 국민의 힘으로 이승만을 대통령에서 물러나게 하고 아시아에서 최초로 독재 정치를 무너뜨린 사건은 무엇인가요?

4 박정희 대통령이 1972년 10월에 만든 헌법으로, 대통령을 통일 주체 국민 회의에서 뽑으며 대통령의 권한을 크게 늘린 헌법은 무엇인가요?

5 1980년 5월 18일 광주에서 일어난 민주화 시위를 군인들이 무참히 진압하자, 광주 시민들이 9일 동안 맞서 싸운 사건을 무엇이라고 하나요?

6 1987년 6월 민주 항쟁의 결과 고쳐진 헌법에서 대통령을 뽑는 방법은 무엇으로 바뀌었나요?

7 국민들은 30년 동안 계속된 군인 정치가 끝나고 1992년 들어선 김영삼 정부를 무엇이라고 불렀나요?

생각 두 걸음

1 다음은 우리나라 역대 대통령의 모습입니다.

❶ 빈칸에 알맞은 대통령의 이름을 써 보세요.

❷ 대통령을 선출하는 방식은 여러 번 바뀌었습니다. 선출 방식이 바뀐 이유는 무엇인가요?

❸ 가장 만나 보고 싶은 대통령은 누구인가요? 이유와 함께 이야기해 보세요.

2 다음은 우리나라의 민주화와 관련된 자료입니다.

❶ 사건의 내용과 관련된 스티커를 빈칸에 붙여 보세요. ([활동 자료5] 활용)
❷ 아래 표를 보고 4·19 혁명의 원인, 과정, 결과를 이야기해 보세요.

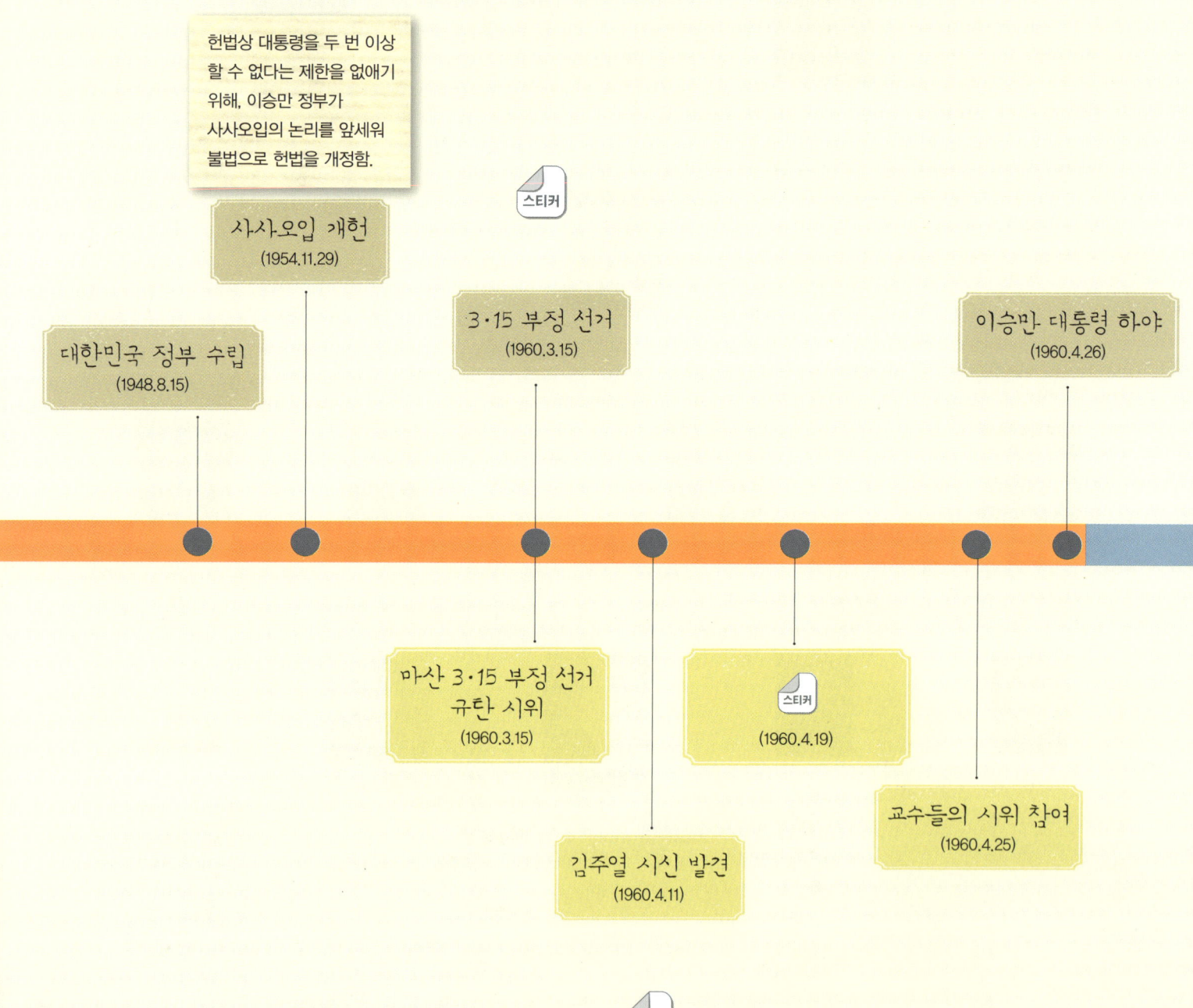

❸ 박정희 대통령의 독재가 끝나게 된 사건에 동그라미 해 보세요.
❹ 10·26 사건 후 또 다른 군사 정권이 들어선 것에 대해 국민들은 어떤 생각을 했을까요?
❺ 대한민국의 민주화 운동에서 국민들이 얻은 것은 무엇이라고 생각하나요?

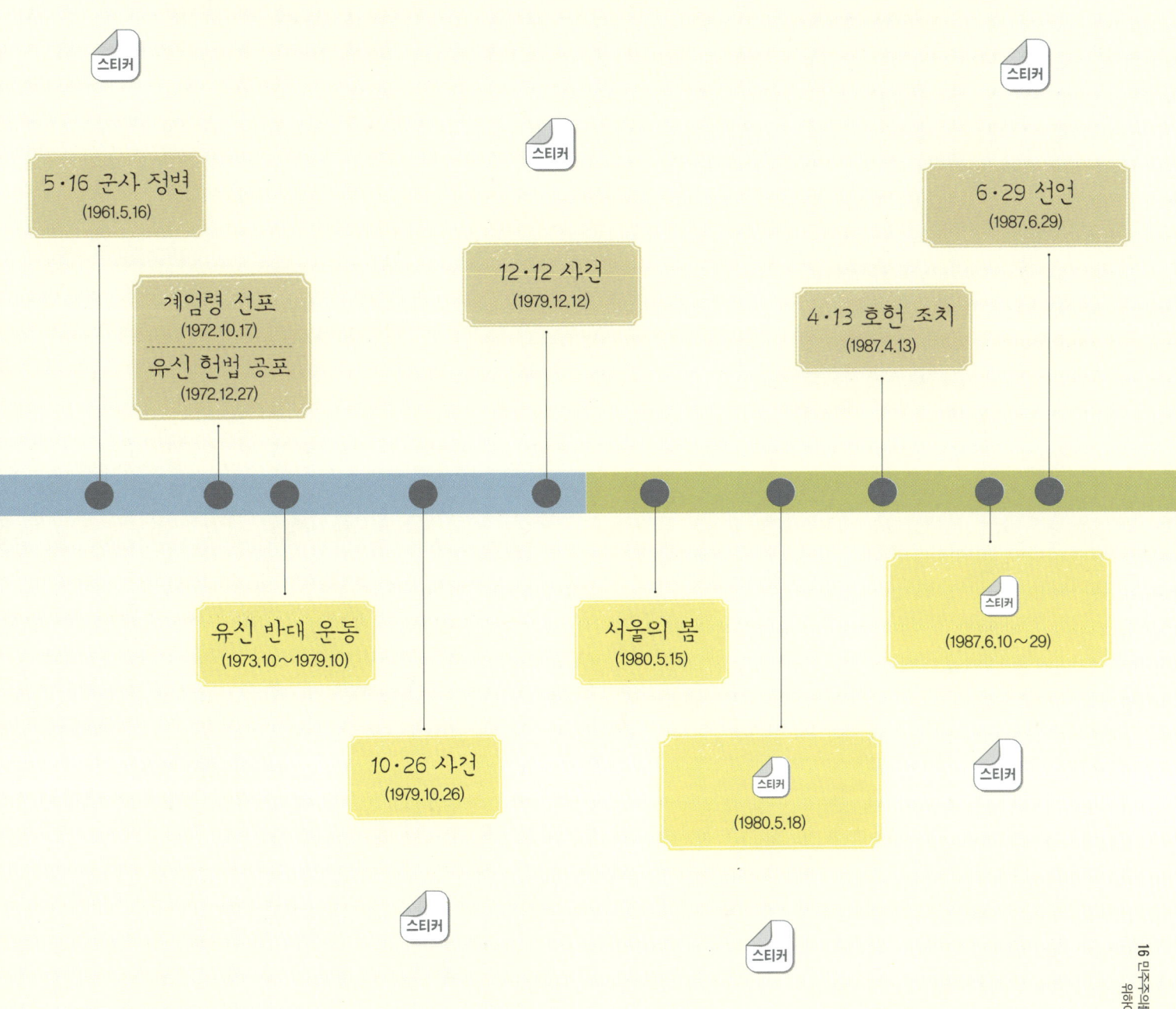

깊이 생각하기

1 4·19 혁명에 대한 여러 평가를 읽고, 4·19 혁명이 높이 평가받는 이유를 생각해 보세요.

대한민국 헌법
우리나라 헌법은 '유구한 역사와 전통에 빛나는 우리 대한국민은 3·1 운동으로 건립된 대한민국 임시 정부의 법통과 불의에 항거한 4·19 민주 이념을 계승하고'라고 시작한다.

영국 〈런던타임스〉
마치 이 나라가 일본의 지배로부터 해방된 1945년 8월 15일과 같았다. 스스로 자유로운 몸이 된 것이다. 역사적인 지난 한 주일은 외국의 비평가들이 생각했던 것보다 한국인이 자유 정부를 가질 자격을 가지고도 남는다는 사실을 보여 주었다.

프랑스 드 프레 파리 시의회 의장의 성명
나는 최근 한국 학생들이 보여 준 고귀한 정신과 용기, 그리고 애국심에 크나큰 존경심을 품고 있다. 이에 나는 프랑스 국민의 축의를 한국 국민에게 전하고 싶다.

2 다음은 민주주의를 이룰 때 필요한 조건들입니다. 아래 빈칸에 여러분이 생각하는 민주주의의 조건을 쓰고 그 이유를 이야기해 보세요.

구분	민주주의 조건
정치	• 국민은 1인 1표의 선거권을 갖는다. • 정권 교체는 평화적 방법으로 이루어져야 한다.
법	• 국가는 모든 구성원의 언론·출판·결사의 자유를 보장해야 하며, 정당한 법 절차 없이 국민을 체포하거나 가둘 수 없다.
복지	• 정부의 시책은 국민의 복리 증진을 위한 것이어야 한다.
교육	
종교	
문화	

3 내가 생각하는 민주주의란 무엇인지 정의하고, 그 이유를 써 보세요.

민주주의란 _____ 이다.
왜냐하면 _____
_____ 때문이다.

생각 펼치기

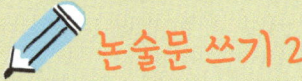 **논술문 쓰기 2**

다음 논제를 읽고 논술문을 써 보세요.

> 정치적 표현의 수단으로 대통령이 폭력을 사용하여 시민들을 누르거나, 시민들이 국가를 상대로 폭력을 사용한 일들이 있었습니다. 정치적 표현의 수단으로 폭력이 정당할까요? 정치적 표현의 수단으로 폭력이 정당한지에 대해 자신의 주장을 바탕으로 논술해 보세요.
> (단, 근거를 제시할 때 역사적 사실을 한 가지 이상 예를 들어 논술하세요.)

⭐ 논제에 대한 내 주장을 정해서 써 보세요.

⭐ 개요표를 완성해 보세요.

서론

본론 1 – 내 입장과 근거 써 보기

본론 2 – 반론을 예상해서 써 보기

본론

본론 3 – 재반론을 예상해서 써 보기

결론

역사와 뛰놀기

민주주의 약속 나무 만들기

민주주의를 지키기 위해 내가 할 일을 생각해 보고 민주주의 약속 나무를 만들어 보세요.

준비물
민주주의 약속 나무 카드 ([활동 자료10] 활용), 가위, 초록색 물감, 칼

★ 민주주의를 지키기 위해 내가 할 수 있는 일들을 생각해 보고 간단히 써 보세요.

만드는 방법

① [활동 자료10]을 오려 카드의 위쪽 부분에 민주주의를 지키기 위한 나의 다짐을 적어 보세요.
(예: 홍길동은 민주주의를 지키기 위해 약속을 잘 지킬 것을 다짐합니다.)

② 엄지손가락에 초록색 물감을 묻혀 나뭇가지 위에 찍어 보세요.

③ 실선에 칼집을 내서 민주주의 약속 나무를 가운데로 올려 세워 카드를 완성하세요.

역사 공감하기

오빠와 언니는 왜 총에 맞았나요

강명희

아! 슬퍼요

아침 하늘이 밝아 오며는
달음박질 소리가 들려옵니다
저녁노을이 사라질 때면
탕탕탕탕 총소리가 들려옵니다
아침 하늘과 저녁노을을
오빠와 언니들은 피로 물들였어요

오빠 언니들은
책가방을 안고서
왜 총에 맞았나요
도둑질을 했나요
강도질을 했나요
무슨 나쁜 짓을 했기에
점심도 안 먹고
저녁도 안 먹고
말 없이 쓰러졌나요
자꾸만 자꾸만 눈물이 납니다

잊을 수 없는 4월 19일
그리고 25일과 26일
학교에서 파하는 길에
총알은 날아오고
피는 길을 덮는데
외로이 남은 책가방
무겁기도 하더군요

나는 알아요 우리는 알아요
엄마 아빠 아무 말 안 해도
오빠와 언니들이 왜 피를 흘렸는지를…

오빠와 언니들이
배우다 남은 학교에서
배우다 남은 책상에서
우리는 오빠와 언니들의
뒤를 따르렵니다

출전: 《4월 혁명 기념시 전집》

당시 초등학교 4학년이었던 강명희 어린이가 4·19 시위 현장을 직접 보고 시를 썼어.
큰 소리로 읽으며, 당시 어린이는 4·19에 대해 어떻게 생각했는지 알아보자.

17 통일을 위한 만남

새로운 세상이 왔어. 앞으로 사람들의 생활은 어떻게 변할까?

생각 한 걸음

1 북한에서는 초등학교를 무엇이라고 부르나요?

2 북한 어린이들이 소학교(인민학교에서 명칭 변경) 2학년 때 자동으로 가입되는 단체는 무엇인가요?

3 하나의 나라가 정치·종교 등의 이유로 나뉘어져 있는 상태를 무엇이라고 하나요?

4 북한의 모든 제도와 시설, 사고방식을 남한처럼 바꿔 완전히 흡수하는 방법의 통일 방식을 무엇이라고 하나요?

5 북한에서는 표준어를 무엇이라고 하나요?

6 휴전선을 기준으로 남북 각각 2km 범위의 지역으로, 6·25 전쟁 후 60여 년 동안 사람이 드나들지 않아 자연 그대로의 모습이 보존된 이 지역을 무엇이라고 하나요?

7 평화 통일을 위한 노력 중 하나인 '7·4 남북 공동 성명'의 주요 내용은 무엇인가요?

생각 두 걸음

1 다음은 북한 어린이들과 관련된 내용입니다.

❶ 제목이 없는 사진에 알맞은 제목을 넣어 보세요.
❷ 어린이들이 어떤 생각을 하고 있을지 상상해서 써 보세요.

㉠

교복 입고, 꽃 달고
㉡

㉢

일손을 돕는 것도 방학 숙제

배가 너무 고파. 뭘 주워다 팔까?
㉣

❸ 북한 어린이들은 학교에서 왜 다음과 같은 과목을 배울까요?

2 다음은 남북한의 현재 상황에 대한 내용입니다.

❶ 휴전선을 찾아 선을 그어 보고, 휴전선의 나이를 생각해 보세요.

❷ 남북한의 수도를 찾아 각각 써 보세요.

❸ 현재 남북한에는 약 150만 명이 넘는 군인이 있습니다. 남북한에 이렇게 많은 군인이 있는 이유는 무엇일까요?

> 남한 : 의무병제, 만 18세부터 입대. 군복무 기간 약 2년
> 북한 : 의무병제, 만 16세부터 입대, 군복무 기간 약 10년

※2015년 기준

❹ 한반도의 비핵화를 위해 일본, 미국, 북한, 러시아, 중국, 한국의 대표가 참여하는 회담을 6자 회담이라고 합니다. 한반도의 문제 해결을 위해 외국의 여러 나라가 참여하는 이유는 무엇일까요?

2008년 북핵 6자 회담 각국 대표들

❺ 다음은 이산가족 중 살아 있는 사람들을 나이별로 분류한 통계표입니다. 표를 보고 알 수 있는 것을 이야기해 보세요.

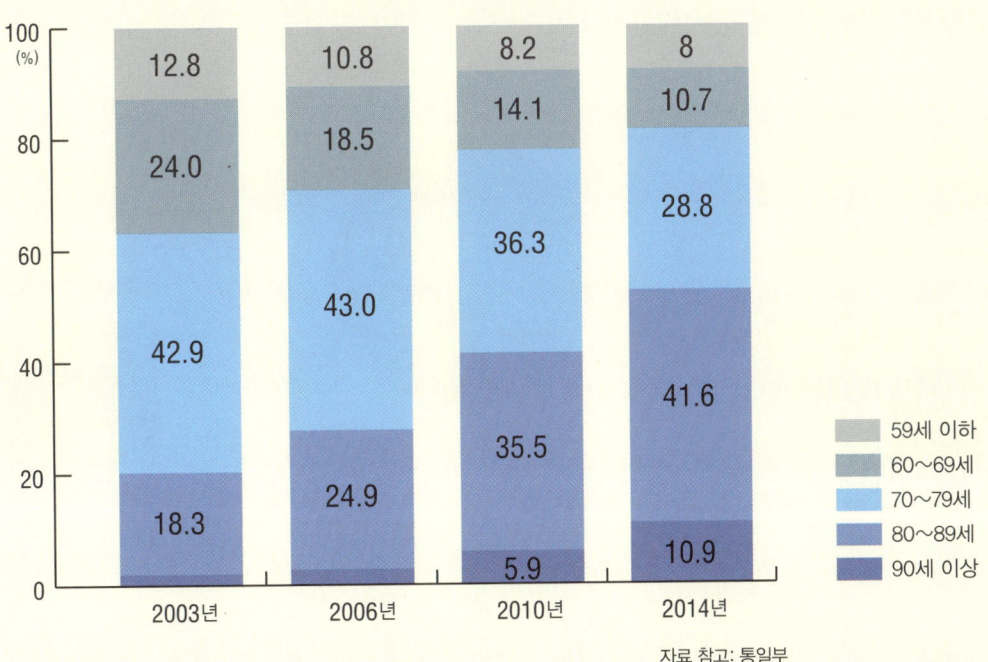

자료 참고: 통일부

3 다음은 남과 북의 다양한 교류에 대한 내용입니다.

❶ 빈칸에 각 분야의 이름을 쓰고, 그 분야의 교류 내용을 스티커로 붙여 보세요.
([활동 자료6] 활용)

❷ 남과 북의 다양한 교류 중 가장 중요하다고 생각하는 교류는 무엇인가요? 이유와 함께 이야기해 보세요.

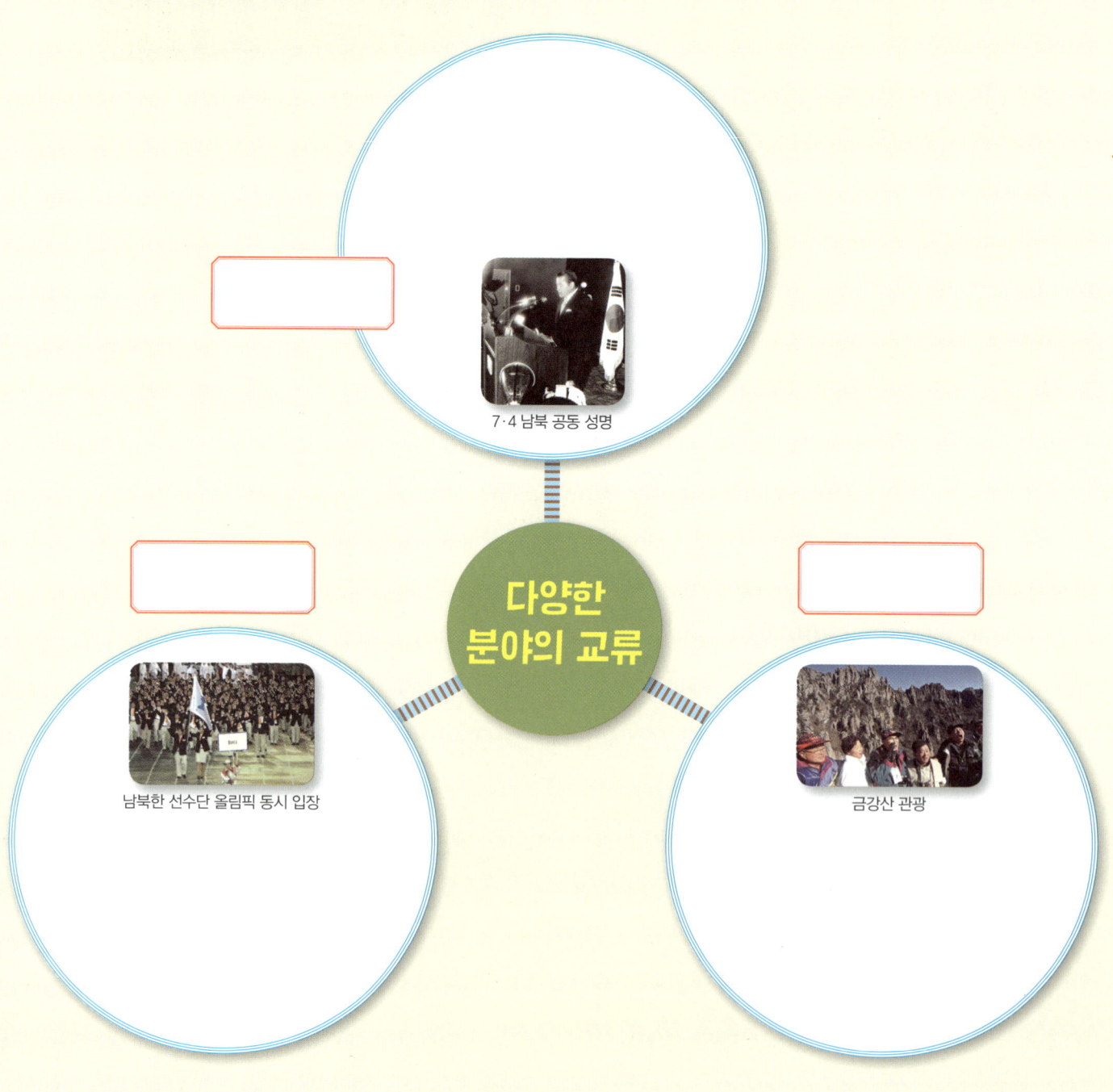

7·4 남북 공동 성명

남북한 선수단 올림픽 동시 입장

다양한 분야의 교류

금강산 관광

깊이 생각하기

1 북한 어린이와 우연히 만나게 된다면 그 어린이는 나에게 무엇을 궁금해할까요? 두 사람의 대화를 상상해서 써 보세요.

2 몇 십 년 동안 분단되었던 남과 북은 여러 가지 면에서 서로 다릅니다. 통일이 된 후 남북한의 사람들이 어울려 지내기 위해 우리가 준비해야 할 것은 무엇인지 생각해 보세요.

3 다음은 통일에 대한 여러 사람들의 다양한 의견입니다. 여러분은 통일에 대해 어떻게 생각하나요?

의견1: 북한의 자원과 남한의 기술·자본이 만나면 더 풍요로워질 테니, 통일은 꼭 이루어져야 한다.
의견2: 지금 우리도 먹고살기 힘든데 통일이 되면 북한 사람들을 모두 우리가 책임져야 할 테니 그냥 각자 이대로 사는 것이 더 낫다.
의견3: 우리는 공산주의자들과는 절대로 함께 살 수가 없다. 통일은 절대로 안 된다.
의견4: 전쟁의 불안에서 벗어나 평화를 누리기 위해 통일은 꼭 필요하다.

생각 펼치기

✏️ 통일이 된 후의 대한민국을 상상하여 글쓰기

미래에 한반도가 통일이 된 후, 대한민국은 어떤 모습으로 바뀌었을지 상상하여 글쓰기를 해 보세요.

역사와 뛰놀기

타임캡슐 만들기

나의 과거, 현재, 미래를 연결해 줄 수 있는 타임캡슐을 만들어 보세요.

타임캡슐은 미래에 열어 보는 것을 전제로, 현재의 모습이나 상황을 알 수 있는 물건 등을 넣는 용기이다. 타임캡슐은 과거와 현재, 미래를 연결해 주는 역할을 한다.

만드는 방법
1. 타임캡슐로 정한 유리병에 넣을 물건을 준비해요. (예: 편지, 현재 신문 기사, 내가 아끼는 물건 등)
2. 준비한 물건을 타임캡슐에 넣으세요.
3. 타임캡슐에 날짜를 적어서 붙이세요.
4. 자신만의 보관 장소에 보관하세요.

준비물
유리병, 연필, 가위, 풀, 유리병에 붙일 종이

예시

타임캡슐
타임캡슐 닫은 날 ○○○○년 ○○월 ○○일
타임캡슐 여는 날 ○○○○년 ○○월 ○○일

황룡초6 최서영

역사 공감하기

내가 생각하는 한국사 명장면

자, 이렇게 해서 원시 시대부터 21세기 현대까지 기나긴 한국사 공부가 끝났습니다. 가장 기억에 남는 한국사의 한 장면을 선택하여 자유롭게 표현해 보세요. ([활동 자료12] 활용) 다른 친구들은 무엇을 골랐을까요?

[문화초5 정재윤]

[일월초5 유서은]

[일월초5 강예린]

6·25 전쟁...
다시는 일어나면
안될 비극적인
일이었다...

1950년 6월 25일
〈6·25전쟁〉
-과거의 조상들이..-

2015년 0월 0일
〈6·25전쟁〉
-미래의 친구들에게-

6·25 전쟁
잊지맙시다...

廣開土大王

[대화초5 윤정빈]

[대화초6 문휘헌]

[한내초5 김서진]

한국사 편지 생각책

신: 신석기에는 농업혁명 덕분에

석: 석류알처럼 톡톡 튀는 발전이 있었어.

기: 기회였어. 인류를 발전시킬 좋은 기회!

내가 생각하는 한국사 명장면

조선시대: 기묘사화

시

조광조가 힘이 세져 없앨 계획 세우는데,

희빈 홍씨와 홍경주 두 사람이 나뭇잎을 보여주며 말하는데,

조광조는 억울하고,

두 사람은 큭큭 대며 웃네.

선택한 이유: 조광조가 너무 불쌍하고 억울할 것 같았기 때문이다.

[신일초5 편수혁]

[황룡초6 최서영]

만약에...

홍선대원군이 쇄국 정책을 하지 않았다면?

19세기 말에는 조선이 일본과 프랑스와 미국 등 외국 세력의 침략을 많이 받으면서 혼란스러웠던 시기였다. 이에 홍선대원군은 쇄국 정책을 펼치면서 외세의 침략에 대응하기 위해 노력하였다. 그런데 만약에 조선이 다른 동양 나라들이 외세의 침략에 대항하기 위해 선택했던 쇄국 정책이 아니라, 개화 정책을 선택했다면 어떻게 되었을까? 우선, 신 문물을 더 빨리 흡수 할 수 있었을 것이다. 그렇다면 일본에게 그렇게 쉽게 당하지는 않았을 것이다. 물론 서양에서 비롯된 서양 문물들을 너무 빠르게 흡수한다면 개화 초기 에는 당연히 서양의 영향력이 커질 수 밖에 없었을 것이다. 하지만 그때 조선은 이런 눈앞의 혼란에만 겁을 먹어서 더 빨리 내다보지를 못했던 것 같다. 천하의 홍선대원군도 사실은 국제 정치적으로는 초짜였던 것이다. 물론 내가 후대의 더욱 진보한 인간이지만, 나와 홍선대원군을 굳이 비교하자면 나는 일본의 야망을 간파하고 서양의 강대국들과 더 친해 졌을 것이다. 지금 와서 혼자 이렇게 불평하는 것은 아무 소용 없겠지만...

[숭문중1 추민재]

명장면으로 뽑은 이유
문신들이 무신들을 차별하고 천대 해서 무신들이 반란을 일으킨 것이 이해가 되기 때문에 무신들이 반란을 일으킨 것은 당연하다고 생각한다.
만약 친구가 나를 무시 하거나 내 물건을 훔쳐 가면 나도 가만히 있지는 않을 것이다.

[화정초5 김민형]

[한내초5 최아정]

사진 및 인용 자료

사진

국립민속박물관 가족계획 포스터 165 고무신, 재봉틀 활동 자료4 | 국립중앙박물관 〈황성신문〉 025 | 가천박물관 《학생》 067 | 토지주택박물관 경제개발5개년 계획도표 165 | 독립기념관 〈3·1 독립 선언서〉 045 봉오동 전황 약도 056 《이태리 건국 삼걸전》 090 이덕주 이력서, 유진식 이력서 100 광복궁 배지 104 〈대한매일신보〉 호외 134 | 서울대학교 규장각한국학연구원 한·일 병합 조약문 014 | 고려대학교 중앙도서관 《새벗》 067 | 안중근의사기념관 《안응칠 역사》, 《동양평화론》 034 | 안중근의사기념사업회 안중근 유묵 041 | 전태일기념사업회 전태일 장례식 167 | 천도교중앙총부 《어린이》 067 | 동아일보 1925년 어린이날 호외 066 2002년 월드컵 호외 134 | 두피미디어 가락우동 활동 자료4 | 연합뉴스 단지 동맹 유지비 034 탑골 공원 부조 043 고려인들 땅굴, 타슈켄트 근교, 우슈토베 토굴촌 079 이봉창 의사, 윤봉길 의사 101 다랑쉬 굴 142 포항 제철, 판자촌 166 가발 공장 재현 167 역대 대통령 초상 177 평양의 설 명절, 북한 어린이, 북한 어린이들, 북한 소학교 신입생 189 북핵 6자 회담 191 올림픽 선수단 동시 입장, 금강산 관광 192 뤼순 감옥 내부, 뤼순 법원 활동 자료1 문화주택 활동 자료4 전남 도청, 박정희 대통령 시해 사건 현장 검증 활동 자료5 개성공단, 만월대 공동 발굴, 이산가족, 10·4 남북 정상회담, 유엔 동시 가입 활동 자료6 | 조선일보 북한의 교과서 189 | 길벗어린이 《만년샤쓰》, 《바위나리와 아기별》 067 | 눈빛출판사 홋카이도 조선 광부 120 | 문학동네어린이 《적》 158 | 사계절 《칠칠단의 비밀》 067 《몽실 언니》 158 | 소금창고 《힘센 사람이 이기는 건 이제 끝》 158 | 에세이퍼블리싱 《사랑의 선물》 067 | 김준기 감독 영화 〈끝나지 않은 이야기〉 포스터 123 | 이미나 서대문 형무소 내부 050 | 정현숙 어묵 활동 자료4 | 각 공식 홈페이지 2014 전국체전 엠블럼, 세계한민족 축전 엠블럼, 2014 인천 아시안 게임 엠블럼 084 | 다음 블로거 돌담 《가뎡잡지》 활동 자료2 | 위키미디어커먼스_코리아넷/해외문화홍보원(전한) 박근혜 대통령 177 | 공공누리 《조선사연구초》 활동 자료1 | 도서출판 책과함께

인용

블라지미르 김 지음, 김현택 옮김, 《러시아 한인 강제 이주사》, 2000. 경당 082

김삼웅, 《단재 신채호 평전》, 시대의창, 2011. 095

김구 지음, 도진순 엮고 보탬, 《백범어록》, 돌베개, 2007. 146

도서출판 책과함께는 이 책에 실은 모든 도판 자료의 출처와 저작권자를 찾아 허락을 받기 위해 최선을 다했습니다.
허가를 받지 못한 일부 도판은 저작권자가 확인되는 대로 사용 허가를 받고 일반적인 사용료를 지불하겠습니다.

《한국사 편지》와 《한국사 편지 생각책》 권별 차례

한국사 편지 1권
원시 사회부터 통일 신라와 발해까지

01 우리나라에는 언제부터 사람이 살았을까?
02 신석기 시대 사람들은 어떻게 살았을까?
03 청동기 시대와 최초의 나라, 고조선
04 고조선 사람들은 어떻게 살았을까?
05 고조선 다음에는 어떤 나라들이 있었을까?
06 삼국과 가야의 건국 이야기
07 동북아시아를 주름잡은 파워 고구려
08 세련된 문화의 나라, 백제
09 삼국 문화의 키워드, 불교
10 삼국 시대 사람들은 어떻게 살았을까?
11 신라는 어떻게 통일을 하였을까?
12 골품의 나라, 신라
13 신비의 나라, 발해

한국사 편지 2권
후삼국 시대부터 고려 시대까지

01 흔들리는 신라와 후삼국 시대
02 왕건과 후삼국 통일
03 문벌 귀족의 나라, 고려
04 거란과의 30년 전쟁
05 국제 무역항 벽란도와 코리아
06 불교의 나라, 고려
07 고려 사람들은 어떻게 살았을까?
08 무신들의 세상
09 왕후장상의 씨가 따로 있나?
10 농민과 천민들이 몽골과 싸우다
11 고려 사람들의 마음이 담긴 팔만대장경과 상감 청자
12 《삼국사기》와 《삼국유사》, 두 역사책에 담긴 서로 다른 뜻
13 공민왕의 개혁 정치
14 목화씨와 화약

한국사 편지 3권
조선 건국부터 조선 후기까지

01 조선은 어떻게 건국되었나?
02 새 도읍지 한양
03 세종이 한글을 만든 진짜 이유
04 관리를 어떻게 뽑았을까?
05 조선 시대 사람들은 어떻게 살았을까?
06 성리학의 나라, 조선
07 사림의 등장과 '사화'
08 조선 시대 사람들의 의식주
09 조선 시대의 신문과 책
10 조선의 3대 도적
11 임진왜란이 터지다
12 청나라의 침입, '호란'
13 당쟁은 왜 일어났을까?
14 울릉도와 독도를 지킨 안용복

한국사 편지 4권
조선 후기부터 대한제국 성립까지

01 정조와 화성 신도시 건설
02 실학자들의 꿈
03 변화하는 농촌과 시장
04 피어나는 서민 문화
05 조선 시대 부부의 사랑과 결혼
06 김정호와 《대동여지도》
07 일어서는 농민들
08 서학과 동학
09 쇄국과 개화의 갈림길
10 나라의 문을 열다
11 '3일 천하'로 끝난 갑신정변
12 전봉준과 동학 농민 운동
13 명성 황후, 그 비극의 죽음
14 개항 후 달라진 생활

스스로 생각하고 놀면서 공부하는 역사 워크북
한국사 편지 생각책 5

1판 1쇄 2015년 9월 15일
1판 8쇄 2023년 5월 10일

글 | 박은봉·김선주·김효정·윤영내·이미나·이진희·정현숙
그림 | 김중석

펴낸이 | 류종필
편집 | 박병익
마케팅 | 이건호
경영지원 | 김유리
디자인 | 권석연, 남경민

펴낸곳 | (주)도서출판 책과함께
　　　　주소 (04022) 서울시 마포구 동교로 70 소와소빌딩 2층
　　　　전화 (02) 335-1982
　　　　팩스 (02) 335-1316
　　　　전자우편 prpub@daum.net
　　　　블로그 blog.naver.com/prpub
　　　　등록 2003년 4월 3일 제2003-000392호

이 책의 저작권은 지은이 박은봉·김선주·김효정·윤영내·이미나·이진희·정현숙과 그린이 김중석, (주)도서출판 책과함께에 있습니다.
이 책의 내용을 이용하려면 저작권자와 출판사에게 모두 서면 동의를 받아야 합니다.
잘못된 책은 구입하신 서점에서 바꾸어 드립니다.

ISBN 978-11-86293-30-0 74900
ISBN 978-89-97735-34-1 (세트)

스스로 생각하고 놀면서 공부하는 **5**
역사 워크북

한국사 편지
생각책
활동 자료

가위와 색연필 등을 준비해 주세요.

[활동 자료1] 안중근 스티커 (3단원 생각 두 걸음) 1

[활동 자료2] 신채호 스티커 (8단원 생각 두 걸음) 1

[활동 자료3] 참가국 스티커 (12단원 생각 두 걸음) 1

[활동 자료4] 일제 강점기 스티커 (10단원 생각 두 걸음) 2

[활동 자료5] 민주화 스티커 (16단원 생각 두 걸음) 2

[활동 자료6] 남북 교류 스티커 (17단원 생각 두 걸음) 2

[활동 자료7] 을사조약과 한일 병합 게임 카드 (1단원 역사와 뛰놀기) 3~4

[활동 자료8] 다문화 퀴즈 카드 (15단원 역사와 뛰놀기) 5~6

[활동 자료9] 역사책 만들기 (8단원 생각 펼치기, 역사와 뛰놀기) 7~8

[활동 자료10] 나무 카드 (16단원 역사와 뛰놀기) 8

[활동 자료11] 게임판 (15단원 역사와 뛰놀기) 9

[활동 자료12] 내가 생각하는 '한국사 명장면' (17단원 역사 공감하기) 10